西遊記

册二

吴承恩 著

北京聯合出版公司

第十六回 觀音院僧謀寶貝 黑風山怪竊袈裟

却説他師徒兩個，策馬前來，直至山門首觀看，果然是一座寺院。但見那：

層層殿閣，迭迭廊房。三山門外，巍巍萬道彩雲遮；五福堂前，艷艷千條紅霧繞。兩路松篁，一林檜柏。兩路松篁，無年無紀自清幽；一林檜柏，有色有顏隨傲麗。又見那鐘鼓樓高，浮屠塔峻。安禪僧定性，啼樹鳥音閑。寂寞無塵真寂寞，清虚有道果清虚。

詩曰：

上刹祇園隱翠窩，招提勝景賽娑婆。果然净土人間少，天下名山僧占多。

長老下了馬，行者歇了擔，正欲進門，衹見那門裏走出一衆僧來。你看他怎生模樣：

頭戴左笄帽，身穿無垢衣。銅環雙墜耳，絹帶束腰圍。草履行來穩，木魚手内提。口中常作念，般若總皈依。

三藏見了，侍立門旁，道個問訊，那和尚連忙答禮。笑道：『失瞻。』問：『是那裏來的？請入方丈獻茶。』三藏道：『我弟子乃東土欽差，上雷音寺拜佛求經。至此處天色將晚，欲借上刹一宵。』那和尚道：『請進裏坐，請進裏坐。』三藏方唤行者牽馬進來。那和尚忽見行者相貌，有些害怕，便問：『那牽馬的是個甚麽東西？』三藏道：『悄言！悄言！他的性急，若聽見你説是甚麽東西，他就惱了。——他是我的徒弟。』那和尚打了個寒噤，咬着指頭道：『這般一個醜頭怪惱的，好招他做徒弟！』三藏道：『你看不出來哩，醜自醜，甚是有用。』

那和尚只得同三藏與行者進了山門。山門裏，又見那正殿上書四個大字，是『觀音禪院』。三藏又大喜道：『弟子屢感菩薩聖恩，未及叩謝；今遇禪院，就如見菩薩一般，甚好拜謝。』那和尚聞言，即命道人開了殿門，請三藏朝拜。那行者拴了馬，丢了行李，同三藏上殿。三藏展背舒身，鋪胸納地，望金像叩頭。那和尚便去打鼓，行者就去撞鐘。三藏俯伏臺前，傾心禱祝。祝拜已畢，那和尚住了鼓，行者還衹管撞鐘不歇，或緊或慢，撞了許久。那道人道：『拜已畢了，還撞鐘怎麽？』行者方丢了鐘杵，笑道：『你那裏曉得！我這是「做一日和尚撞一日鐘」的。』

此時却驚動那寺裏大小僧人、上下房長老，聽得鐘聲亂響，一齊擁出道：『那個野人在這裏亂敲鐘鼓？』行者跳將出來，咄的一聲道：『是你孫外公撞了耍子的！』那些和尚一見了，唬得跌跌滚滚，都爬在地下道：『雷公爺爺！』行者道：『雷公是我的重孫兒哩！起來，起來，不要怕，我們是東土大唐來的老爺。』衆僧方纔禮拜；見了三藏，都才放心不怕。内有本寺院主請道：『老爺們到後方丈中奉茶。』遂而解繮牽馬，抬了行李，轉過正殿，徑入後房，序了坐次。

那院主獻了茶，又安排齋供。天光尚早。三藏稱謝未畢，衹見那後面有兩個小童，攙着一個老僧出來。看他怎生打扮：

頭上戴一頂毗盧方帽，猫睛石的寶頂光輝；身上穿一領錦絨褊衫，翡翠毛的金邊晃亮。一對僧鞋攢八寶，一根拄杖嵌雲星。滿面皺痕，好似驪山老母；一雙昏眼，却如東海龍君。口不關風因齒落，腰駝背屈爲筋攣。

衆僧道：『師祖來了。』三藏躬身施禮迎接道：『老院主，弟子拜揖。』那老僧還了禮，又各叙坐。老僧道：『適間小的們説，東土唐朝來的老爺，我纔出來奉見。』三藏道：『輕造寶山，不知好歹，恕罪！恕罪！』老僧道：『不敢！不敢！』因問：『老爺，東土到此，有多少路程？』三藏道：『出長安邊界，有五千餘裏；過兩界山，收了一衆小徒，一路來，行過西番哈泌國，經兩個月，又有五六千里，才到了貴處。』老僧道：『也有萬里之遥了。我弟子虚度一生，山門也不曾出去，誠所謂「坐井觀天」，樗朽之輩。』三藏又問：『老院主高壽幾何？』老僧道：『痴長二百七十歲了。』行者聽見道：『這還是我萬代孫兒哩！』三藏瞅了他一眼道：『謹言！莫要不識高低，衝撞人。』那和尚便問：『老爺，你有多少年紀了？』行者道：『不敢説。』那老僧也衹當一句瘋話，便不介意，也不再問，衹叫獻茶。有一個小幸童，拿出一個羊脂玉的盤兒，有三個法藍鑲金的茶鐘；又一童，提一把白銅壺兒，斟了三杯香茶。真個是色

第十六回　觀音院僧謀寶貝　黑風山怪竊袈裟

卻說他師徒兩個，策馬前來，直至山門首觀看，果然是一座寺院。但見那：

層層殿閣，迭迭廊房。三山門外，巍巍萬道彩雲遮；五福堂前，艷艷千條紅霧繞。兩路松篁，一林檜柏。兩路松篁，無年無紀自清幽；一林檜柏，有色有顏隨傲麗。又見那鐘鼓樓高，浮屠塔峻。安禪僧定性，啼樹鳥音閑。寂寞無塵真寂寞，清虛有道果清虛。

詩曰：

上剎祇園隱翠窩，招提勝景賽娑婆。果然淨土人間少，天下名山僧占多。

長老下了馬，行者歇了擔，正欲進門，只見那門裏走出一衆僧來。你看他怎生模樣：

頭戴左笄帽，身穿無垢衣。銅環雙墜耳，絹帶束腰圍。草履行來穩，木魚手內提。口中常作念，般若總皈依。

三藏見了，侍立門旁，道個問訊，那和尚連忙答禮，笑道：「失瞻。」問：「是那裏來的？請入方丈獻茶。」三藏道：「我弟子乃東土欽差，上雷音寺拜佛求經。至此處天色將晚，欲借上剎一宵。」那和尚道：「請進裏坐，請進裏坐。」三藏方喚行者牽馬進來。那和尚忽見行者相貌，有些害怕，便問：「那牽馬的是個甚麼東西？」三藏道：「悄言！悄言！他的性急，若聽見你說是甚麼東西，他就惱了。——他是我的徒弟。」那和尚打了個寒噤，咬着指頭道：「這般一個醜頭怪腦的，好招他做徒弟！」三藏道：「你看不出來哩，醜自醜，甚是有用。」

那和尚只得同三藏與行者進了山門。山門裏，又見那正殿上書四個大字，是「觀音禪院」。三藏又大喜道：「弟子屢感菩薩聖恩，未及叩謝；今遇禪院，就如見菩薩一般，甚好拜謝。」那和尚聞言，即命道人開了殿門，請三藏朝拜。那行者拴了馬，丟了行李，同三藏上殿。三藏展背舒身，鋪胸納地，望金像叩頭。那和尚便去打鼓，行者就去撞鐘。三藏俯伏臺前，傾心禱祝。祝拜已畢，那和尚住了鼓，行者還只管撞鐘不歇，或緊或慢，撞了許久。那道人道：「拜已畢了，還撞鐘怎麼？」行者方丟了鐘杵，笑道：「你那裏曉得！我這是『做一日和尚撞一日鐘』的。」

此時卻驚動那寺裏大小僧人、上下房長老，聽得鐘聲亂響，一齊擁出道：「那個野人在這裏亂敲鐘鼓？」行者跳將出來，咄的一聲道：「是你孫外公撞了耍子的！」那些和尚一見了，諕得跌跌滾滾，都爬在地下道：「雷公爺爺！」行者道：「雷公是我的重孫兒哩！起來，起來，不要怕，我們是東土大唐來的老爺。」衆僧方纔禮拜；見了三藏，都才放心不怕。內有本寺院主請道：「老爺們到後方丈中奉茶。」遂而解韁牽馬，抬了行李，轉過正殿，徑入後房，序了坐次。

那院主獻了茶，又安排齋供。天光尚早，三藏稱謝未畢，只見那後面有兩個小童，攙着一個老僧出來。看他怎生打扮：

頭上戴一頂毗盧方帽，貓睛石的寶頂光輝；身上穿一領錦絨褊衫，翡翠毛的金邊晃亮。一對僧鞋攢八寶，一根拄杖嵌雲星。滿面皺痕，好似驪山老母；一雙昏眼，却如東海龍君。口不關風因齒落，腰駝背屈為筋攣。

衆僧道：「師祖來了。」三藏躬身施禮迎接道：「老院主，弟子拜揖。」那老僧還了禮，又各敘坐。老僧道：「適間小的們說東土唐朝來的老爺，我纔出來奉見。」三藏道：「輕造寶山，不知好歹，恕罪！恕罪！」老僧道：「不敢！不敢！」因問：「老爺，東土到此，有多少路程？」三藏道：「出長安邊界，有五千餘里；過兩界山，收了一衆小徒，一路來，行過西番哈咇國，經兩個月，又有五六千里，纔到了貴處。」老僧道：「也有萬里之遙了。我弟子虛度一生，山門也不曾出去，誠所謂『坐井觀天』，樗朽之輩。」三藏又問：「老院主高壽幾何？」老僧道：「癡長二百七十歲了。」行者聽見道：「這還是我萬代孫兒哩！」三藏瞅了他一眼道：「謹言！莫要不識高低，衝撞人。」那和尚便問：「老爺，你有多少年紀了？」行者道：「不敢說。」那老僧也只當一句瘋話，便不介意，也不再問，叫獻茶。有一個小幸童，拿出一個羊脂玉的盤兒，有三個法藍鑲金的茶鍾；又一童，提一把白銅壺兒，斟了三杯香茶，真個是色欺榴蕊艷，味勝桂花香。三藏見了，誇愛不盡道：『好物件！好物件！真是美食美器！』那老僧道：『污眼！污眼！老爺乃天朝上國，廣覽奇珍，似這般器具，何足過獎？老爺自上邦來，可有甚麼寶貝，借與弟子一觀？』三藏道：『可憐！我那東土，無甚寶貝；就有時，路程遙遠，也不能帶得。』

行者在旁道：『師父，我前日在包袱裏，曾見那領袈裟，不是件寶貝？拿與他看看何如？』衆僧聽説袈裟，一個個冷笑。行者道：『你笑怎的？』院主道：『老爺才説袈裟是件寶貝，言實可笑。若説袈裟，似我等輩者，不止二三十件；若論我師祖，在此處做了二百五六十年和尚，足有七八百件！』叫：『拿出來看看。』那老和尚，也是他一時賣弄，便叫道人開庫房，頭陀抬櫃子，就抬出十二櫃，放在天井中，開了鎖，兩邊設下衣架，四圍牽了繩子，將袈裟一件件抖開挂起，請三藏觀看。果然是滿堂綺綉，四壁綾羅！

行者一一觀之，都是些穿花納錦，刺綉銷金之物。笑道：『好，好，好！收起！收起！把我們的也取出來看看。』三藏把行者扯住，悄悄的道：『徒弟，莫要與人鬥富。你我是單身在外，衹恐有錯。』行者道：『看看袈裟，有何差錯？』三藏道：『你不曾理會得。古人有云：「珍奇玩好之物，不可使見貪婪奸僞之人。」倘若一經入目，必動其心；既動其心，必生其計。汝是個畏禍的，索之而必應其求，可也；不然，則殞身滅命，皆起于此，事不小矣。』行者道：『放心！放心！都在老孫身上！』你看他不由分説，急急的走了去，把個包袱解開，早有霞光迸迸；尚有兩層油紙裹定，去了紙，取出袈裟，抖開時，紅光滿室，彩氣盈庭。衆僧見了，無一個不心歡口讚。真個好袈裟！上頭有：

千般巧妙明珠墜，萬樣稀奇佛寶攢。上下龍鬚鋪彩綺，兜羅四面錦沿邊。體挂魍魎從此滅，身披魑魅入黄泉。託化天仙親手製，不是真僧不敢穿。

那老和尚見了這般寶貝，果然動了奸心，走上前，對三藏跪下，眼中垂泪道：『我弟子真是没緣！』三藏攙起道：『老院師有何話説？』他道：『老爺這件寶貝，方纔展開，天色晚了，奈何眼目昏花，不能看得明白，豈不是無緣！』

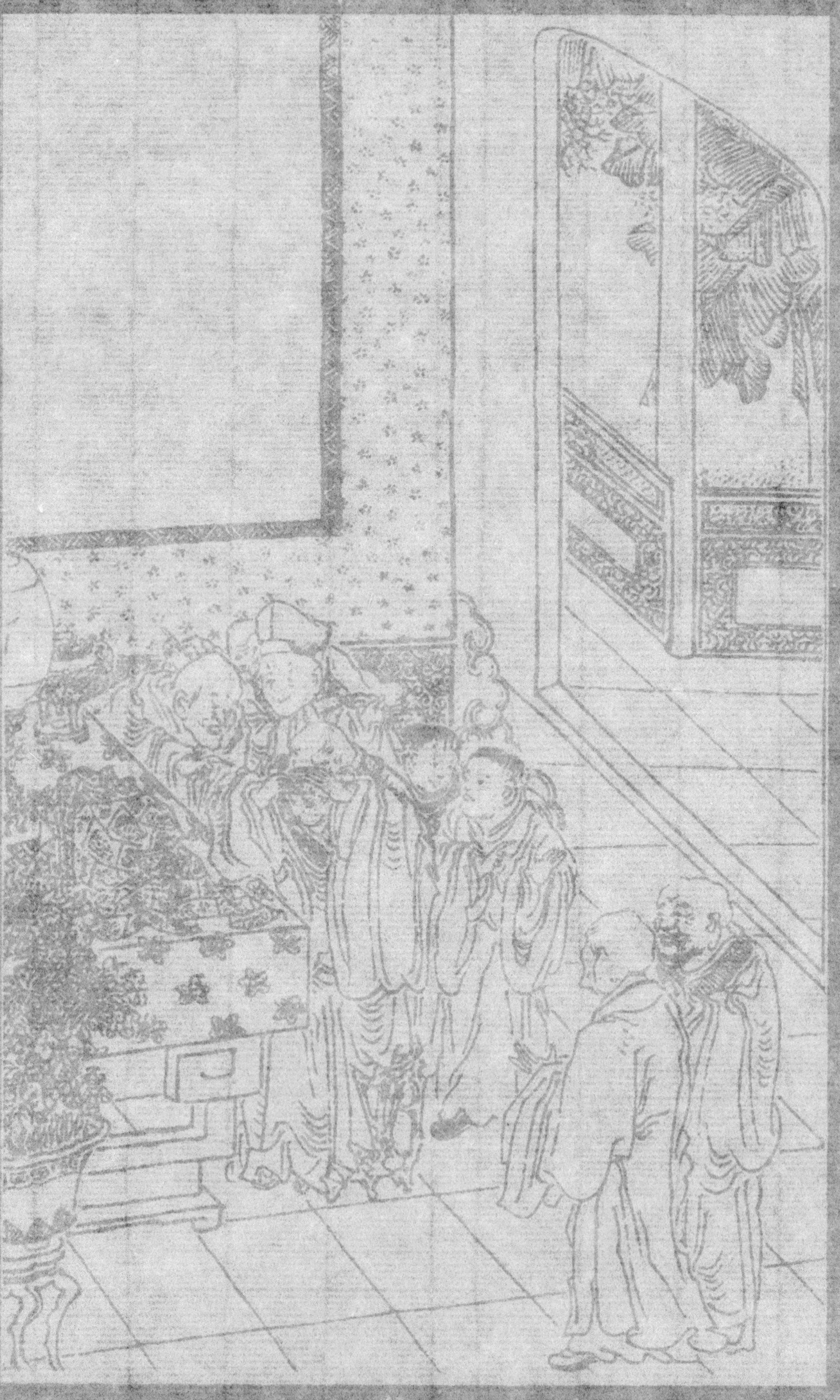

三藏教：『掌上燈來，讓你再看。』那老僧道：『爺爺的寶貝，已是光亮，再點了燈，一發晃眼，莫想看得仔細。』行者道：『你要怎的看才好？』老僧道：『老爺若是寬恩放心，教弟子拿到後房，細細的看一夜，明早送還老爺西去，不知尊意何如？』三藏聽說，吃了一驚，埋怨行者道：『都是你！都是你！』行者笑道：『怕他怎的？等我包起來，教他拿了去看。但有疏虞，盡是老孫管整。』那三藏阻當不住，他把袈裟遞與老僧道：『憑你看去，只是明早照舊還我，不得損污些須。』老僧喜喜歡歡，着幸童將袈裟拿進去，却吩咐衆僧，將前面禪堂掃淨，取兩張藤床，安設鋪蓋，請二位老爺安歇；一壁廂又教安排明早齋送行，遂而各散。師徒們關了禪堂，睡下不題。

却說那和尚把袈裟騙到手，拿在後房燈下，對袈裟號啕痛哭，慌得那本寺僧，不敢先睡。小幸童也不知爲何，却去報與衆僧道：『公公哭到二更時候，還不歇聲。』有兩個徒孫，是他心愛之人，上前問道：『師公，你哭怎的？』老僧道：『我哭無緣，看不得唐僧寶貝！』小和尚道：『公公年紀高大，發過了。他的袈裟，放在你面前，你衹消解開看便罷了，何須痛哭？』老僧道：『看的不長久。我今年二百七十歲，空掙了幾百件袈裟。怎麼得有他這一件？怎麼得做個唐僧？』小和尚道：『師公差了。唐僧乃是離鄉背井的一個行脚僧。你這等年高，享用也彀了，倒要像他做行脚僧，何也？』老僧道：『我雖是坐家自在，樂乎晚景，却不得他這袈裟穿穿。若教我穿得一日兒，就死也閉眼，——也是我來陽世間爲僧一場！』

衆僧道：『好没正經！你要穿他的，有何難處？我們明日留他住一日；留他住十日，你就穿他十日，便罷了。何苦這般痛哭？』老僧道：『縱然留他住了半載，也衹穿得半載，到底也不得氣長。他要去時，只得與他去，怎生留得長遠？』

正說話處，有一個小和尚，名喚廣智，出頭道：『公公，要得長遠，也容易。』老僧聞言，就歡喜起來道：『我兒，你有甚麽高見？』廣智道：『那唐僧兩個是走路的人，辛苦之甚，如今已睡着了。我們想幾個有力量的，拿了槍刀，打開禪堂，將他殺了，把屍首埋在後園，衹我一家知道，却又謀了他的白馬、行囊，却把那袈裟留下，以爲傳家之寶，豈非子孫長久之計耶？』老和尚見說，滿心歡喜，却纔揩了眼淚道：『好！好！好！此計絕妙！』即便收拾槍刀。

内中又有一個小和尚，名喚廣謀，就是那廣智的師弟，上前來道：『此計不妙。若要殺他，須要看看動静。那個白臉的似易，那個毛臉的似難，萬一殺他不得，却不反招己禍？我有一個不動刀槍之法，不知你尊意如何？』老僧道：『我兒，你有何法？』廣謀道：『依小孫之見，如今喚聚東山大小房頭，每人要乾柴一束，捨了那三間禪堂，放起火來，教他欲走無門，連馬一火焚之。就是山前山後人家看見，衹說是他自不小心，走了火，將我禪堂都燒了。那兩個和尚，却不都燒死？又好掩人耳目。袈裟豈不是我們傳家之寶？』那些和尚聞言，無不歡喜。都道：『强！强！强！此計更妙！更妙！』遂教各房頭搬柴來。唉！這一計，正是弄得個高壽老僧該盡命，觀音禪院化爲塵！原來他那寺裏，有七八十個房頭，大小有二百餘衆。當夜一擁搬柴，把個禪堂，前前後後，四面圍繞不通，安排放火不題。

却說三藏師徒，安歇已定。那行者却是個靈猴，雖然睡下，只是存神煉氣，朦朧着醒眼。忽聽得外面不住的人走，揸揸的柴響風生。他心疑惑道：『此時夜静，如何有人行得脚步之聲？莫敢是賊盜，謀害我們的？……』他就一骨魯跳起。欲要開門出看，又恐驚醒師父。你看他弄個精神，搖身一變，變做一個蜜蜂兒。真個是：

口甜尾毒，腰細身輕。穿花度柳飛如箭，粘絮尋香似落星。小小微軀能負重，囂囂薄翅會乘風。却自椽稜下，鑽出看分明。

衹見那衆僧們，搬柴運草，已圍住禪堂放火哩。行者暗笑道：『果依我師父之言！他要害我們性命，謀我的袈裟，故起這等毒心。我待要拿棍打他啊，可憐又不禁打，一頓棍都打死了，師父又怪我行兇。——罷，罷，罷！與他個「順手牽羊，將計就計」，教他住不成罷！』

三藏教：「掌上燈來，讓你再看。」那老僧道：「爺爺的寶貝，已是光亮，再點了燈，一發晃眼，莫想看得仔細。」行者道：「你要怎的看才好？」老僧道：「老爺若是寬恩放心，教弟子拿到後房，細細的看一夜，明早送還老爺西去，不知尊意何如？」三藏聽說，吃了一驚，埋怨行者道：「都是你！都是你！」行者笑道：「怕他怎的？等我包起來，教他拿了去看。但有疏虞，盡是老孫管整。」那三藏阻當不住，他把袈裟遞與老僧道：「憑你看去，只是明早照舊還我，不得損污些須。」老僧喜喜歡歡，著幼童將袈裟拿進去，卻吩咐眾僧，將前面禪堂掃淨，取兩張藤床，安設鋪蓋，請二位老爺安歇；一壁廂又教安排明早齋送行，遂而各散。師徒們關了禪堂，睡下不題。

卻說那和尚把袈裟騙到手，拿在後房燈下，對袈裟號啕痛哭，慌得那本寺僧，不敢先睡。小幸童也不知為何，卻去報與眾僧道：「公公哭到二更時候，還不歇聲。」有兩個徒孫，是他心愛之人，上前問道：「師公，你哭怎的？」老僧道：「我哭無緣，看不得唐僧寶貝！」小和尚道：「公公年紀高大，發過了。他的袈裟，放在你面前，你只消解開看便罷了，何須痛哭？」老僧道：「看的不長久。我今年二百七十歲，空掙了幾百件袈裟。怎麼得有他這一件？怎麼得做個唐僧？」小和尚道：「師公差了。唐僧乃是離鄉背井的一個行腳僧。你這等年高，享用也彀了，倒要像他做行腳僧，何也？」老僧道：「我兒，雖是我坐家自在，樂乎晚景，卻不得他這袈裟穿穿。若教我穿得一日兒，就死也閉眼，也是我來陽世間為僧一場！」眾僧道：「好沒正經！你要穿他的，有何難處？我們明日留他住一日，你就穿他一日；留他住十日，你就穿他十日便罷了。何苦這般痛哭？」老僧道：「縱然留他住了半載，也只穿得半載，到底也不得氣長。他要去時，只得與他去，怎生留得長遠？」

正說話處，有一個小和尚，名喚廣智，出頭道：「公公，要得長遠，也容易。」老僧聞言，就歡喜起來道：「我兒，你有甚麼高見？」廣智道：「那唐僧兩個是走路的人，辛苦之甚，如今已睡著了。我們想幾個有力量的，拿了槍刀，

打開禪堂，將他殺了，把屍首埋在後園，只我一家知道，卻又謀了他的白馬、行囊，卻把那袈裟留下，以為傳家之寶，豈非子孫長久之計耶？」老和尚見說，滿心歡喜，卻才揩了眼淚道：「好！好！好！此計絕妙！」即便收拾槍刀。

內中又有一個小和尚，名喚廣謀，就是那廣智的師弟，上前來道：「此計不妙。若要殺他，須要看看動靜。那個白臉的似易，那個毛臉的似難；萬一殺他不得，卻不反招己禍？我有一個不動刀槍之法，不知你尊意如何？」老僧道：「我兒，你有何法？」廣謀道：「依小孫之見，如今喚聚東山大小房頭，每人要乾柴一束，捨了那三間禪堂，放起火來，教他欲走無門，連馬一火焚之。就是山前山後人家看見，只說是他自不小心，走了火，將我禪堂都燒了。那兩個和尚，卻不都燒死？又好掩人耳目。袈裟豈不是我們傳家之寶？」那些和尚聞言，無不歡喜，都道：「強！強！強！此計更妙！更妙！」遂教各房頭搬柴來。唉！這一計，正是弄得個高壽老僧該盡命，觀音禪院化為塵！

原來他那寺裏，有七八十個房頭，大小有二百餘眾。當夜一擁搬柴，把個禪堂前前後後，四面圍繞不通，安排放火不題。

卻說三藏師徒，安歇已定。那行者卻是個靈猴，雖然睡下，只是存神煉氣，朦朧著醒眼。忽聽得外面不住的人走，揸揸的柴響風生。他心疑惑道：「此時夜靜，如何有人行得腳步之聲？莫敢是賊盜，謀害我們的？……」他就一骨魯跳起。欲要開門出看，又恐驚醒師父。你看他弄個精神，搖身一變，變做一個蜜蜂兒。真個是：

口甜尾毒，腰細身輕。穿花度柳飛如箭，粘絮尋香似落星。小小微軀能負重，囂囂薄翅會乘風。卻自椽稜下，鑽出看分明。

只見那眾僧們，搬柴運草，已圍住禪堂放火哩。行者暗笑道：「果依我師父之言！他要害我們性命，謀我的袈裟，故起這等毒心。我待要拿棍打他啊，可憐又不禁打，一頓棍都打死了，師父又怪我行兇。——罷，罷，罷！與他個『順手牽羊，將計就計』，教他住不成罷！」

好行者，一筋斗跳上南天門裏，唬得個龐、劉、苟、畢躬身，馬、趙、温、關控背，俱道：『不好了！不好了！那鬧天宮的主子又來了！』行者搖着手道：『列位免禮，休驚。我來尋廣目天王的。』説不了，却遇天王早到，迎着行者道：『久闊，久闊。前聞得觀音菩薩來見玉帝，借了四值功曹、六丁六甲并揭諦等，保護唐僧往西天取經去，説你與他做了徒弟，今日怎麼得閑到此？』行者道：『且休敘闊。唐僧路遇歹人，放火燒他，事在萬分緊急，特來尋你借「辟火罩兒」，救他一救。快些拿來使使，即刻返上。』天王道：『你差了；既是歹人放火，衹該借水救他，如何要辟火罩？』行者道：『你那裏曉得就裏。借水救之，却燒不起來，倒相應了他；只是借此罩，護住了唐僧無傷，其餘管他，盡他燒去。快些！快些！此時恐已無及，莫誤了我下邊幹事！』那天王笑道：『這猴子還是這等起不善之心，衹顧了自家，就不管別人。』行者道：『快着！快着！莫要調嘴，害了大事！』那天王不敢不借，遂將罩兒遞與行者。

行者拿了，按着雲頭，徑到禪堂房脊上，罩住了唐僧與白馬、行李。他却去那後面老和尚住的方丈房上頭坐，着意保護那袈裟。看那些人放起火來，他轉捻訣念咒，望巽地上吸一口氣吹將去，一陣風起，把那火轉颳得烘烘亂着。好火！好火！但見：

黑煙漠漠，紅焰騰騰。黑煙漠漠，長空不見一天星；紅焰騰騰，大地有光千里赤。起初時，灼灼金蛇；次後來，威威血馬。南方三炁逞英雄，回祿大神施法力。燥乾柴燒烈火性，説甚麼燧人鑽木；熟油門前飄彩焰，賽過了老祖開爐。正是那無情火發，怎禁這有意行兇；不去弭災，反行助虐。風隨火勢，焰飛有千丈餘高；火趁風威，灰迸上九霄雲外。乒乒乓乓，好便似殘年爆竹；潑潑喇喇，却就如軍中炮響。燒得那當場佛像莫能逃，東院伽藍無處躲。勝如赤壁夜鏖兵，賽過阿房宮內火！

這正是星星之火，能燒萬頃之田。須臾間，風狂火盛，把一座觀音院，處處通紅。你看那衆和尚，搬箱抬籠，搶桌端鍋，滿院裏叫苦連天。孫行者護住了後邊方丈，辟火罩罩住了前面禪堂，其餘前後火光大發，真個是照天紅焰輝煌，透壁金光照耀！

不期火起之時，驚動了一山獸怪。這觀音院正南二十里遠近，有座黑風山，山中有一個黑風洞，洞中有一個妖精，正在睡醒翻身。衹見那窗門透亮，衹道是天明。起來看時，却是正北下的火光晃亮，妖精大驚道：『呀！這必是觀音院裏失了火！這些和尚好不小心！我看時，與他救一救來。』好妖精，縱起雲頭，即至煙火之下，果然衝天之火，前面殿宇皆空，兩廊烟火方灼。他大拽步，撞將進去，正呼喚叫取水來，衹見那後房無火，房脊上有一人放風。他却情知如此，急入裏面看時，見那方丈中間有些霞光彩氣，臺案上有一個青氈包袱。他解開一看，見是一領錦襴袈裟，乃佛門之异寶。正是財動人心，他也不救火，他也不叫水，拿着那袈裟，趁哄打劫，拽回雲步，徑轉東山洞而去。

那場火衹燒到五更天明，方纔滅息。你看那衆僧們，赤赤精精，啼啼哭哭，都去那灰内尋銅鐵，撥腐炭，撲金銀。有的在墻筐裏，苦搭窩棚；有的赤壁根頭，支鍋造飯；叫冤叫屈，亂嚷亂鬧不題。

却説行者取了辟火罩，一筋斗送上南天門，交與廣目天王道：『謝借！謝借！』天王收了道：『大聖至誠了。我正愁你不還我的寶貝，無處尋討，且喜就送來也。』行者道：『老孫可是那當面騙物之人？這叫做「好借好還，再借不難」。』天王道：『許久不面，請到宮少坐一時，何如？』行者道：『老孫比在前不同，「爛板凳，高談闊論」了；如今保唐僧，不得身閑。容叙！容叙！』急辭別墜雲，又見那太陽星上。徑來到禪堂前，摇身一變，變做個蜜蜂兒，飛將進去，現了本像看時，那師父還沉睡哩。

行者叫道：『師父，天亮了，起來罷。』三藏才醒覺，翻身道：『正是。』穿了衣服，開門出來，忽抬頭，衹見些倒壁紅墻，不見了樓臺殿宇。大驚道：『呀！怎麼這殿宇俱無？都是紅墻，何也？』行者道：『你還做夢哩！

今夜走了火的。』三藏道：『我怎不知？』行者道：『是老孫護了禪堂，見師父濃睡，不曾驚動。』三藏道：『你有本事護了禪堂，如何就不救別房之火？』行者笑道：『好教師父得知。果然依你昨日之言，他愛上我們的袈裟，算計要燒殺我們。若不是老孫知覺，到如今皆成灰骨矣！』三藏聞言，害怕道：『是他們放的火麽？』行者道：『不是他是誰？』三藏道：『莫不是怠慢了你，你幹的這個勾當？』行者道：『老孫是這等憊懶之人，幹這等不良之事？實實是他家放的。老孫見他心毒，果是不曾與他救火，只是與他略略助些風的。』三藏道：『天那！天那！火起時，衹該助水，怎轉助風？』行者道：『你可知古人云：「人没傷虎心，虎没傷人意。」你不弄火，我怎肯弄風？』三藏道：『袈裟何在？敢莫是燒壞了也？』行者道：『没事！没事！燒不壞！那放袈裟的方丈無火。』三藏恨道：『我不管你！但是有些兒傷損，我衹把那話兒念動念動，你就是死了！』行者慌了道：『師父，莫念！莫念！管尋還你袈裟就是了。等我去拿來走路。』三藏就牽着馬，行者挑了擔，出了禪堂，徑往後方丈去。

却説那些和尚，正悲切間，忽的看見他師徒牽馬挑擔而來，唬得一個個魂飛魄散道：『冤魂索命來了！』行者喝道：『甚麽冤魂索命？快還我袈裟來！』衆僧一齊跪倒，叩頭道：『爺爺呀！冤有冤家，債有債主。要索命不幹我們事，都是廣謀與老和尚定計害你的，莫問我們討命。』行者咄的一聲道：『我把你這些該死的畜生！那個問你討甚麽命！衹拿袈裟來還我走路！』其間有兩個膽量大的和尚道：『老爺，你們在禪堂裏已燒死了，如今又來討袈裟，端的還是人，是鬼？』行者笑道：『這伙孽畜！那裏有甚麽火來？你去前面看看禪堂，再來説話！』衆僧們爬起來往前觀看，那禪堂外面的門窗槅扇，更不曾燎灼了半分。衆人悚懼，才認得三藏是位神僧，行者是尊護法。一齊上前叩頭道：『我等有眼無珠，不識真人下界！你的袈裟在後面方丈中老師祖處哩。』三藏行過了三五層敗壁破墻，嗟嘆不已。衹見方丈果然無火，衆僧搶入裏面，叫道：『公公！唐僧乃是神人，未曾燒死，如今反害了自己家當！趁早拿出袈裟，還他去也。』

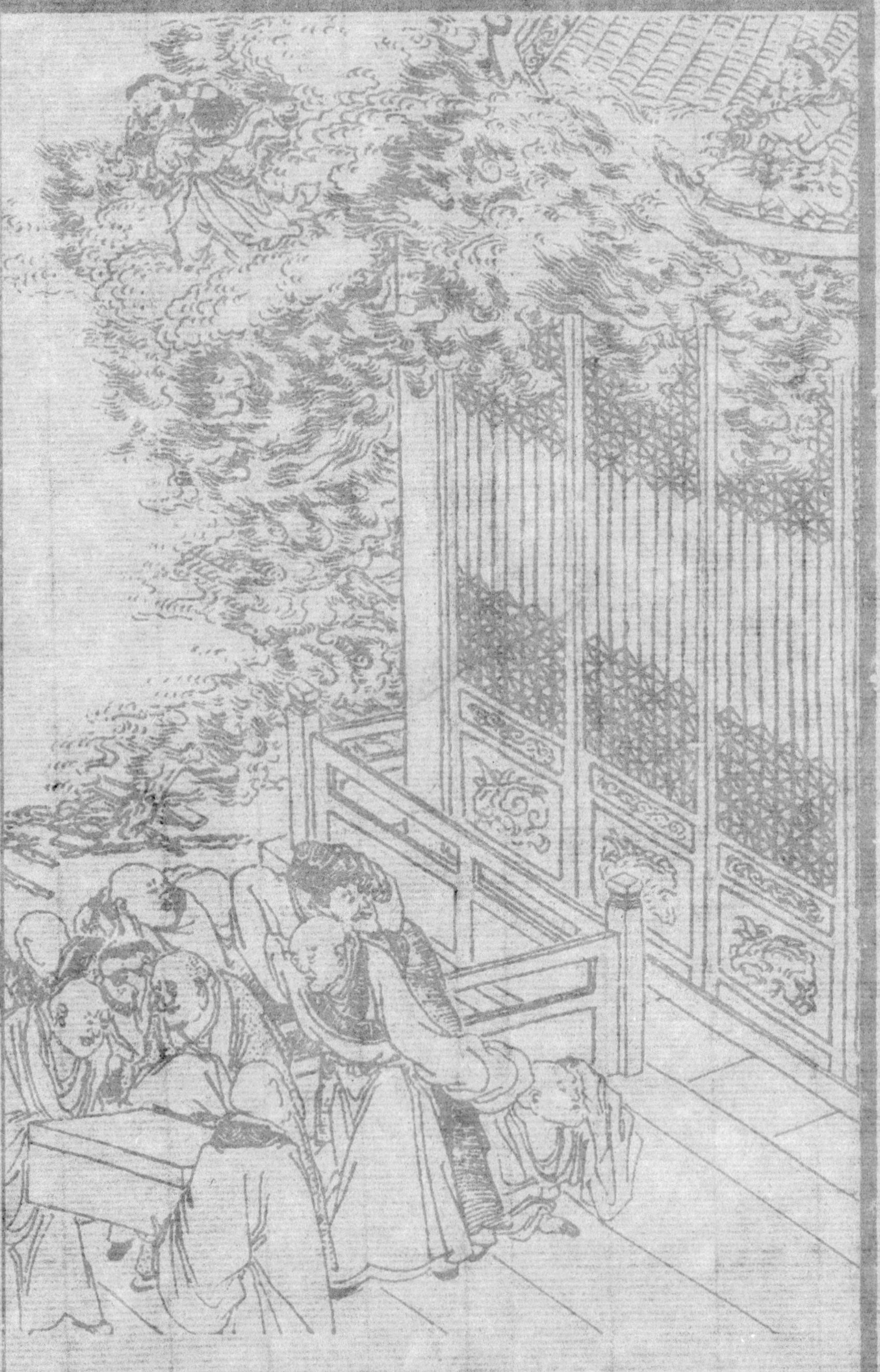

原來這老和尚尋不見袈裟，又燒了本寺的房屋，正在萬分煩惱焦燥之處，一聞此言，怎敢答應？因尋思無計，進退無方，拽開步，躬着腰，往那墻上着實撞了一頭，可憐祇撞得腦破血流魂魄散，咽喉氣斷染紅沙！有詩爲證。詩曰：

堪嘆老衲性愚蒙，枉作人間一壽翁。欲得袈裟傳遠世，豈知佛寶不凡同！但將容易爲長久，定是蕭條取敗功。廣智廣謀成甚用？損人利己一場空！

慌得個衆僧哭道：『師公已撞殺了，又不見袈裟，怎生是好？』行者道：『想是汝等盜藏起也！都出來！開具花名手本，等老孫逐一查點！』那上下房的院主，將本寺和尚、頭陀、幸童、道人盡行開具手本二張，大小人等，共計二百三十名。行者請師父高坐，他却一一從頭唱名搜檢，都要解放衣襟，分明點過，更無袈裟。又將那各房頭搬搶出去的箱籠物件，從頭細細尋遍，那裏得有踪跡。

三藏心中煩惱，懊恨行者不盡，却坐在上面念動那咒。行者撲的跌倒在地，抱着頭，十分難禁，祇教『莫念！莫念！管尋還了袈裟！』那衆僧見了，一個個戰兢兢的，上前跪下勸解，三藏才合口不念。行者一骨魯跳起來，耳朵裏掣出鐵棒，要打那些和尚，被三藏喝住道：『這猴頭！你頭痛還不怕，還要無禮？休動手！且莫傷人！再與我審問一問！』衆僧們磕頭禮拜，哀告三藏道：『老爺饒命！我等委實的不曾看見。這都是那老死鬼的不是。他昨晚看着你的袈裟，祇哭到更深時候，看也不曾敢看，思量要圖長久，做個傳家之寶，設計定策，要燒殺老爺；自火起之候，狂風大作，各人祇顧救火，搬搶物件，更不知袈裟去向。』行者大怒，走進方丈屋裏，把那觸死鬼屍首抬出，選剥了細看，渾身更無那件寶貝，就把個方丈掘地三尺，也無踪影。

行者忖量半晌，問道：『你這裏可有甚麽妖怪成精麽？』院主道：『老爺不問，莫想得知。我這裏正東南有座黑風山。黑風洞内有一個黑大王。我這老死鬼常與他講道。他便是個妖精。別無甚物。』行者道：『那山離此有多遠近？』院主道：『祇有二十里，那望見山頭的就是。』行者笑道：『師父放心，不須講了，一定是那黑怪偷去無疑。』三藏道：『他那厢離此有二十里，如何就斷得是他？』行者道：『你不曾見夜間那火，光騰萬里，亮透三天，且休説二十里，就是二百里也照見了！坐定是他見火光焜耀，趁着機會，暗暗的來到這裏，看見我們袈裟是件寶貝，必然趁哄擄去也。等老孫去尋他一尋。』三藏道：『你去了時，我却何倚？』行者道：『這個放心，暗中自有神靈保護，明中等我叫那些和尚伏侍。』即唤衆和尚過來，道：『汝等着幾個去埋那老鬼，着幾個伏侍我師父，看守我白馬！』衆僧領諾。行者又道：『汝等莫順口兒答應，等我去了，你就不來奉承。看師父的，要怡顔悦色；養白馬的，要水草調匀；假有一毫兒差了，照依這個樣棍，與你們看看！』他掣出棍子，照那火燒的磚墻上，撲的一下，把那墻打得粉碎，又震倒了有七八層墻。衆僧見了，個個骨軟身麻，跪着磕頭滴淚道：『爺爺寬心前去，我等竭力虔心，供奉老爺，決不敢一毫怠慢！』好行者，急縱筋斗雲，徑上黑風山，尋找這袈裟。正是那：

金禪求正出京畿，仗錫投西涉翠微。虎豹狼蟲行處有，工商士客見時稀。路逢异國愚僧妒，全仗齊天大聖威。火發風生禪院廢，黑熊夜盗錦襴衣。

畢竟此去不知袈裟有無，吉凶如何，且聽下回分解。

總批：

饒他廣智、廣謀，直弄得家破人亡，亦一省之乎？

好個廣智、廣謀，袈裟又不曾得，家當燒了，老和尚死了。何益，何益！人人如此，可憐，可憐！善乎，篇中之言曰：『廣智廣謀成甚用，損人利己一場空。』可謂老婆心急矣。○篇中又有隱語，亦一一拈出：○『祇顧了自家，就不管別人。』○『那無情火發。』○『星星之火，能燒萬頃之田。』○『他不弄火，我怎肯弄風？』都是醒世名言，不要尋常看過。

第十七回 孫行者大鬧黑風山 觀世音收伏熊羆怪

話説孫行者一筋斗跳將起去，唬得那觀音院大小和尚併頭陀、幸童、道人等一個個朝天禮拜道：『爺爺呀！原來是騰雲駕霧的神聖下界！怪道火不能傷！恨我那個不識人的老剥皮，使心用心，今日反害了自己！』三藏道：『列位請起，不須恨了。這去尋着袈裟，萬事皆休；但恐找尋不着，我那徒弟性子有些不好，汝等性命不知如何，恐一人不能脱也。』衆僧聞得此言，一個個提心吊膽，告天許願，衹要尋得袈裟，各全性命不題。

却説孫大聖到空中，把腰兒扭了一扭，早來到黑風山上。住了雲頭，仔細看，果然是座好山。况正值春光時節，但見：

萬壑争流，千崖競秀。鳥啼人不見，花落樹猶香。雨過天連青壁潤，風來松卷翠屏張。山草發，野花開，懸崖峭嶂；薜蘿生，佳木麗，峻嶺平崗。不遇幽人，那尋樵子？澗邊雙鶴飲，石上野猿狂。矗矗堆螺排黛色，巍巍擁翠弄嵐光。

那行者正觀山景，忽聽得芳草坡前，有人言語。他却輕步潛踪，閃在那石崖之下，偷睛觀看。原來是三個妖魔，席地而坐：上首的是一條黑漢，左首下是一個道人，右首下是一個白衣秀士。都在那裏高談闊論。講的是立鼎安爐，摶砂煉汞；白雪黄芽，傍門外道。正説中間，那黑漢笑道：『後日是我母難之日，二公可光顧光顧？』白衣秀士道：『年年與大王上壽，今年豈有不來之理？』黑漢道：『我夜來得了一件寶貝，名唤錦襴佛衣，誠然是件玩好之物。我明日就以他爲壽，大開筵宴，邀請各山道官，慶賀佛衣，就稱爲「佛衣會」如何？』道人笑道：『妙！妙！妙！我明日先來拜壽，後日再來赴宴。』

行者聞得佛衣之言，定以爲是他寶貝。他就忍不住怒氣，跳出石崖，雙手舉起金箍棒，高叫道：『我把你這伙賊怪！你偷了我的袈裟，要做甚麽「佛衣會」！趁早兒將來還我！』喝一聲『休走！』輪起棒，照頭一下，慌得那黑漢化風而逃，道人駕雲而走；衹把個白衣秀士，一棒打死。拖將過來看處，却是一條白花蛇怪。索性提起來，捽做五七斷，徑入深山，找尋那個黑漢。轉過尖峰，抹過峻嶺，又見那壁陡崖前，聳出一座洞府，但見那：

煙霞渺渺，松柏森森。煙霞渺渺采盈門，松柏森森青繞户。橋踏枯槎木，峰巔繞薜蘿。鳥啣紅蕊來雲壑，鹿踐芳叢上石臺。那門前時催花發，風送花香。臨堤緑柳轉黄鸝，傍岸夭桃翻粉蝶。雖然曠野不堪誇，却賽蓬萊山下景。

行者到于門首，又見那兩扇石門，關得甚緊。門上有一横石板，明書六個大字，乃『黑風山黑風洞』。即便輪棒叫聲『開門！』那裏面有把門的小妖，開了門出來，問道：『你是何人，敢來擊吾仙洞？』行者駡道：『你個作死的孽畜！甚麽個去處，敢稱仙洞！「仙」字是你稱的？快進去報與你那黑漢，教他快送老爺的袈裟出來，饒你一窩性命！』

小妖急急跑到裏面，報道：『大王！「佛衣會」做不成了！門外有一個毛臉雷公嘴的和尚，來討袈裟哩！』那黑漢被行者在芳草坡前趕將來，却纔關了門，坐還未穩。又聽得那話，心中暗想道：『這厮不知是那裏來的，這般無禮，他敢嚷上我的門來！』教：『取披挂。』隨結束了，綽一桿黑纓槍，走出門來。這行者閃在門外，執着鐵棒，睁睛觀看，衹見那怪果生得兇險：

碗子鐵盔火漆光，烏金鎧甲亮輝煌。皂羅袍罩風兜袖，黑緑絲縧桿穗長。手執黑纓槍一杆，足踏烏皮靴一雙。眼幌金睛如掣電，正是山中黑風王。

行者暗笑道：『這厮真個如燒窑的一般，築煤的無二！想必是在此處刷炭爲生，怎麽這等一身烏黑？』那怪厲聲高叫道：『你是個甚麽和尚，敢在我這裏大膽？』行者執鐵棒，撞至面前，大咤一聲道：『不要閑講！快還你老外公的袈裟來！』那怪道：『你是那寺裏和尚？你的袈裟在那裏失落了，敢來我這裏索取？』行者道：『我的袈裟，在直北觀音院後方丈裏放着；祇因那院裏失了火，你這厮，趁哄擄掠，盗了來，要做「佛衣會」慶壽，

怎敢抵賴？快快還我，饒你性命！若牙迸半個「不」字，我推倒了黑風山，躧平了黑風洞，把你這一洞妖邪，都碾爲齏粉！」

那怪聞言，呵呵冷笑道：「你這個潑物！原來昨夜那火就是你放的！你在那方丈屋上，行兇招風，是我把一件袈裟拿來了，你待怎麽！你是那裏來的？姓甚名誰？有多大手段，敢那等海口浪言！」行者道：「是你也認不得你老外公哩！你老外公乃大唐上國駕前御弟三藏法師之徒弟，姓孫，名悟空行者。若問老孫的手段，説出來，教你魂飛魄散，死在眼前！」那怪道：「我不曾會你，有甚麽手段，説來我聽。」行者笑道：「我兒子，你站穩着，仔細聽之！我：

自小神通手段高，隨風變化逞英豪。養性修真熬日月，跳出輪回把命逃。一點誠心曾訪道，靈臺山上采藥苗。那山有個老仙長，壽年十萬八千高。老孫拜他爲師父，指我長生路一條。他説身内有丹藥，外邊采取枉徒勞。得傳大品天仙訣，若無根本實難熬。回光内照寧心坐，身中日月坎離交。萬事不思全寡欲，六根清浄體堅牢。返老還童容易得，超凡入聖路非遥。三年無漏成仙體，不同俗輩受煎熬。十洲三島還遊戲，海角天涯轉一遭。活該三百多餘歲，不得飛昇上九霄。下海降龍真寶貝，才有金箍棒一條。花果山前爲帥首，水簾洞裏聚群妖。玉皇大帝傳宣詔，封我齊天極品高。幾番大鬧靈霄殿，數次曾偷王母桃。天兵十萬來降我，層層密密佈槍刀。戰退天王歸上界，哪吒負痛領兵逃。顯聖真君能變化，老孫硬賭跌平交。道祖觀音同玉帝，南天門上看降妖。却被老君助一陣，二郎擒我到天曹。將身綁在降妖柱，即命神兵把首梟。刀砍錘敲不得壞，又教雷打火來燒。老孫其實有手段，全然不怕半分毫。送在老君爐裏煉，六丁神火慢煎熬。日滿開爐我跳出，手持鐵棒繞天跑。縱横到處無遮擋，三十三天鬧一遭。我佛如來施法力，五行山壓老孫腰。整整壓該五百載，幸逢三藏出唐朝。吾今皈正西方去，轉上雷音見玉毫。你去乾坤四海問一問，我是歷代馳名第一妖！」

那怪聞言笑道：「你原來是那鬧天宮的弼馬温麽？」行者最惱的是人叫他弼馬温；聽見這一聲，心中大怒。駡道：「你這賊怪！偷了袈裟不還，倒傷老爺！不要走！看棍！」那黑漢側身躲過，綽長槍，劈手來迎。兩家這場好殺：

如意棒，黑纓槍，二人洞口逞剛强。分心劈臉刺，着臂照頭傷。這個横丢陰棍手，那個直拈急三槍。白虎爬山來探爪，黄龍卧道轉身忙。噴彩霧，吐毫光，兩個妖仙不可量：一個是修正齊天聖，一個是成精黑大王。這場山裏相争處，祇爲袈裟各不良。

那怪與行者鬥了十數回合，不分勝負。漸漸紅日當午，那黑漢舉槍架住鐵棒道：「孫行者，我兩個且收兵，等我進了膳來，再與你賭鬥。」行者道：「你這個孽畜，教做漢子？好漢子，半日兒就要吃飯？似老孫在山根下，整壓了五百餘年，也未曾嚐些湯水，那裏便餓哩？莫推故！休走！還我袈裟來，方讓你去吃飯！」那怪虚幌一槍，撤身入洞，關了石門，收回小怪，且安排筵宴，書寫請帖，邀請各山魔王慶會不題。

却説行者攻門不開，也只得回觀音院。那本寺僧人已葬埋了那老和尚，都在方丈裏伏侍唐僧。早齋已畢，又擺上午齋。正那裏添湯换水，祇見行者從空降下，衆僧禮拜，接入方丈，見了三藏。

三藏道：「悟空，你來了？袈裟如何？」行者道：「已有了根由。早是不曾冤了這些和尚。原來是那黑風山妖怪偷了。老孫去暗暗的尋他，祇見他與一個白衣秀士，一個老道人，坐在那芳草坡前講話。也是個不打自招的怪物，他忽然説出道：後日是他母難之日，邀請諸邪來做生日；夜來得了一件錦襴佛衣，要以此爲壽，作一大宴，唤做「慶賞佛衣會」。是老孫搶到面前，打了一棍，那黑漢化風而走，道人也不見了，祇把個白衣秀士打死，乃是一條白花蛇成精。我又急急趕到他洞口，叫他出來與他賭鬥。他已承認了，是他拿回。戰够這半日，不分勝負。那怪回洞，却要吃飯，關了石門，懼戰不出。老孫却來回看師父，先報此信。已是有了袈裟的下落，不怕他不還我。」

衆僧聞言，合掌的合掌，磕頭的磕頭，都念聲「南無阿彌陀佛！今日尋着下落，我等方有了性命矣！」行者道：「你且休喜歡暢快，我還未曾到手，師父還未曾出門哩。衹等有了袈裟，打發得我師父好好的出門，才是你們的安樂處，若稍有些須不虞，老孫可是好惹的主子！可曾有好茶飯與我師父吃？可曾有好草料餵馬？」衆僧俱滿口答應道：「有！有！有！更不曾一毫待怠慢了老爺。」三藏道：「自你去了這半日，我已吃過了三次茶湯，兩餐齋供了。他俱不曾敢慢我。但只是你還盡心竭力去尋取袈裟回來。」行者道：「莫忙！既有下落，管情拿住這廝，還你原物。放心，放心！」正説處，那上房院主，又整治素供，請孫老爺吃齋。行者却吃了些須，復駕祥雲，又去找尋。

正行間，衹見一個小怪，左脅下夾着一個花梨木匣兒，從大路而來。行者度他匣內必有甚麽柬札，舉起棒，劈頭一下，可憐不禁打，就打得似個肉餅一般，却拖在路旁，揭開匣兒觀看，果然是一封請帖。帖上寫着：

「侍生熊羆頓首拜，啓上大闡金池老上人丹房：屢承佳惠，感激淵深。夜觀回禄之難，有失救護，諒仙機必無他害。生偶得佛衣一件，欲作雅會，謹具花酌，奉扳清賞。至期，千乞仙駕過臨一叙。是荷。先二日具。」

行者見了，呵呵大笑道：「那個老剥皮，死得他一毫兒也不虧！他原來與妖精結黨！怪道他也活了二百七十歲。想是那個妖精，傳他些甚麽服氣的小法兒，故有此壽。老孫還記得他的模樣，等我就變做那和尚，往他洞裏走走，看我那袈裟放在何處。假若得手，即便拿回，却也省力。」

好大聖，念動咒語，迎着風一變，果然就像那老和尚一般，藏了鐵棒，拽開步，徑來洞口，叫聲「開門」。那小妖開了門，見是這般模樣，急轉身報道：「大王，金池長老來了。」那怪大驚道：「剛纔差了小的去下簡帖請他，這時候還未到那裏哩，如何他就來得這等迅速？想是小的不曾撞着他，斷是孫行者呼他來討袈裟的。管事的，可把佛衣藏了，莫教他看見。」

行者進了前門，但見那天井中，松篁交翠，桃李争妍，叢叢花發，簇簇蘭香，却也是個洞天之處。又見那二門上有一聯對子，寫着：「静隱深山無俗慮，幽居仙洞樂天真。」

行者暗道：「這廝也是個脱垢離塵，知命的怪物。」入門裏，往前又進，到于三層門裏，都是些畫棟雕梁，明窗彩户。衹見那黑漢子，穿的是黑緑紵絲袢襖，罩一領鴉青花綾披風，戴一頂烏角軟巾，穿一雙麂皮皂靴，見行者進來，整頓衣巾，降階迎接道：「金池老友，連日欠親。請坐，請坐。」行者以禮相見。見畢而坐，坐定而茶。茶罷，妖精欠身道：「適有小簡奉啓，後日一叙，何老友今日就下顧也？」行者道：「正來進拜，不期路遇華翰，見有『佛衣雅會』，故此急急奔來，願求見見。」那怪笑道：「老友差矣。這袈裟本是唐僧的，他在你處住札，你豈不曾看見，反來就我看看？」行者道：「貧僧借來，因夜晚還不曾展看，不期被大王取來。又被火燒了荒山，失落了家私。那唐僧的徒弟，又有些驍勇，亂忙中，四下裏都尋覓不見。原來是大王的洪福收來，故特來一見。」

正講處，衹見有一個巡山的小妖，來報道：「大王！禍事了！下請書的小校，被孫行者打死在大路旁邊，他綽着經兒，變化做金池長老，來騙佛衣也！」那怪聞言，暗道：「我説那長老怎麽今日就來，又來得迅速，果然是他！」急縱身，拿過槍來，就刺行者。行者耳朵裏急掣出棍子，現了本相，架住槍尖，就在他那中廳裏跳出，自天井中，鬥到前門外，唬得那洞裏群魔都喪膽，家間老幼盡無魂。這場在山頭好賭鬥，比前番更是不同。好殺：

那猴王膽大充和尚，這黑漢心靈隱佛衣。語去言來機會巧，隨機應變不差池。袈裟欲見無由見，寶貝玄微真妙微。小怪尋山言禍事，老妖發怒顯神威。翻身打出黑風洞，槍棒爭持辨是非。棒架長槍聲響亮，槍迎鐵棒放光輝。悟空變化人間少，妖怪神通世上稀。這個要把佛衣來慶壽，那個不得袈裟肯善歸？這番苦戰難分手，就是活佛臨凡也解不得圍。

他兩個從洞口打上山頭，自山頭殺在雲外，吐霧噴風，飛砂走石，衹鬥到紅日沉西，不分勝敗。那怪道：「姓孫的，你且住了手。今日天晚，不好相持。你去，你去！待明早來，與你定個死活。」行者叫道：「兒子莫走！要

是夜在禪堂歇宿。那三藏想着袈裟，那裏得穩睡？忽翻身見窗外透白，急起叫道：『悟空，天明了，快尋袈裟去。』行者一骨魯跳將起來。早見衆僧侍立，供奉湯水，行者道：『你等用心伏侍我師父，老孫去也。』三藏下床，扯住道：『你往哪裏去？』行者道：『我想這樁事都是觀音菩薩没理，他有這個禪院，在此受了這裏人家香火，又容那妖精鄰住。我去南海尋他，與他講三講，教他親來問妖精討袈裟還我。』三藏道：『你這去，幾時回來？』行者道：『時少衹在飯罷，時多衹在晌午，就成功了。那些和尚，可好伏侍，老孫去也。』

説聲去，早已無踪。須臾間，到了南海。停雲觀看，但見那：

汪洋海遠，水勢連天。祥光籠宇宙，瑞氣照山川。千層雪浪吼青霄，萬迭煙波滔白晝。水飛四野，浪滚周遭。水飛四野振轟雷，浪滚周遭鳴霹靂。休言水勢，且看中間。五色朦朧寶迭山，紅黄紫皂緑和藍。才見觀音真勝境，試看南海落伽山。好去處！山峰高聳，頂透虚空。中間有千様奇花，百般瑞草。風摇寶樹，日映金蓮。觀音殿瓦蓋琉璃，潮音洞門鋪玳瑁。緑楊影裏語鸚哥，紫竹林中啼孔雀。羅紋石上，護法威嚴；瑪瑙灘前，木叉雄壯。

這行者觀不盡那异景非常，徑直按雲頭，到竹林之下。早有諸天迎接道：『菩薩前者對衆言大聖歸善，甚是宣揚。今保唐僧，如何得暇到此？』行者道：『因保唐僧，路逢一事，特見菩薩，煩爲通報。』諸天遂來洞口報知。菩薩喚入。行者遵法而行，至寶蓮臺下拜了。菩薩問曰：『你來何幹？』行者道：『我師父路遇你的禪院，你受了人間香火，容一個黑熊精在那裏鄰住，着他偷了我師父袈裟，屢次取討不與，今特來問你要的。』菩薩道：『這猴子説話，這等無狀！既是熊精偷了你的袈裟，你怎來問我取討？都是你這個孽猴大膽，將寶貝賣弄，拿與小人看見，你却又行兇，唤風發火，燒了我的留雲下院，反來我處放刁！』行者見菩薩説出這話，知他曉得過去未來之事，慌忙禮拜道：『菩薩，乞恕弟子之罪，果是這般這等。但恨那怪物不肯與我袈裟，師父又要念那話兒咒語，老孫忍不得頭疼，故此來拜煩菩薩。望菩薩慈悲之心，助我去拿那妖精，取衣西進也。』菩薩道：『那怪物有許多神通，却也不亞于你。

戰便像個戰的，不可以天晚相推。」看他没頭没臉的，衹情使棍子打來，這黑漢又化陣清風，轉回本洞，緊閉石門不出。

行者却無計策奈何，只得也回觀音院裏。按落雲頭，道聲「師父」。那三藏眼兒巴巴的，正望他哩。忽見到了面前，甚喜；又見他手裏没有袈裟，又懼；問道：「怎麽這番還不曾有袈裟來？」行者袖中取出個簡帖兒來，遞與三藏道：「師父，那怪物與這死的老剥皮，原是朋友。他着一個小妖送此帖來，還請他去赴『佛衣會』。是老孫就把那小妖打死，變做那老和尚，進他洞去，騙了一鍾茶吃。欲問他討袈裟看看，他不肯拿出。正坐間，忽被一個甚麽巡風的，走了風信，他就與我打將起來。衹鬥到這早晚，不分上下。他見天晚，閃回洞去，緊閉石門。老孫無奈，也暫回來。」三藏道：「你手段比他何如？」行者道：「我也硬不多兒，衹戰個手平。」

三藏才看了簡帖，又遞與那院主道：「你師父敢莫也是妖精麽？」那院主慌忙跪下道：「老爺，我師父是人；衹因那黑大王修成人道，常來寺裏與我師父講經，他傳了我師父些養神服氣之術，故以朋友相稱。」行者道：「這伙和尚没甚妖氣，他一個個頭圓頂天，足方履地，但比老孫肥胖長大些兒，非妖精也。你看那帖兒上寫着『侍生熊羆』，此物必定是個黑熊成精。」三藏道：「我聞得古人云：『熊與猩猩相類。』都是獸類，他却怎麽成精？」行者笑道：「老孫是獸類，見做了齊天大聖，與他何异？大抵世間之物，凡有九竅者，皆可以修行成仙。」三藏又道：「你才説他本事與你手平，你却怎生得勝，取我袈裟回來？」行者道：「莫管，莫管，我有處治。」

正商議間，衆僧擺上晚齋，請他師徒們吃了。三藏教掌燈，仍去前面禪堂安歇。衆僧都挨墻倚壁，苫搭窩棚，各各睡下，衹把個後方丈讓與那上下院主安身。此時夜静，但見：

銀河現影，玉宇無塵。滿天星燦爛，一水浪收痕。萬籟聲寧，千山鳥絶。溪邊漁火息，塔上佛燈昏。昨夜闍黎鐘鼓響，今宵一遍哭聲聞。

也罷，我看唐僧面上，和你去走一遭。』行者聞言，謝恩再拜。即請菩薩出門，遂同駕祥雲，早到黑風山。墜落雲頭，依路找洞。

正行處，祇見那山坡前，走出一個道人，手拿着一個玻璃盤兒，盤内安着兩粒仙丹，往前正走；被行者撞個滿懷，掣出棒，就照頭一下，打得腦裏漿流出，腔中血迸攛。菩薩大驚道：『你這個猴子，還是這等放潑！他又不曾偷你袈裟，又不與你相識，又無甚冤仇，你怎麽就將他打死？』行者道：『菩薩，你認他不得。他是那黑熊精的朋友。他昨日和一個白衣秀士，都在芳草坡前坐講。後日是黑熊精的生日，請他們來慶「佛衣會」。今日他先來拜壽，明日來慶「佛衣會」，所以我認得。定是今日替那妖去上壽。』菩薩説：『既是這等説來，也罷。』行者才去把那道人提起來看，却是一隻蒼狼。旁邊那個盤兒底下却有字，刻道：『凌虛子製』。行者見了，笑道：『造化！造化！老孫也是便益，菩薩也是省力。這怪叫做不打自招，那怪教他今日了劣。』菩薩説道：『悟空，這教怎麽説？』行者道：『菩薩，我悟空有一句話兒，叫做將計就計，不知菩薩可肯依我？』菩薩道：『你説。』行者説道：『菩薩，你看這盤兒中是兩粒仙丹，便是我們與那妖魔的贄見；這盤兒後面刻的四個字，説「凌虛子製」，便是我們與那妖魔的勾頭。菩薩若要依得我時，我好替你作個計較，也就不須動得乾戈，也不須勞得征戰，妖魔眼下遭瘟，佛衣眼下出現；菩薩要不依我時，菩薩往西，我悟空往東，佛衣祇當相送，唐三藏祇當落空。』菩薩笑道：『這猴熟嘴！』行者道：『不敢，倒是一個計較。』菩薩説：『你這計較怎説？』行者道：『這盤上刻那「凌虛子制」，想這道人就叫做凌虛子。菩薩，你要依我時，可就變做這個道人，我把這丹吃了一粒，變上一粒，略大些兒。菩薩，你就捧了這個盤兒，兩粒仙丹，去與那妖上壽，把這丸大些的讓與那妖。待那妖一口吞之，老孫便于中取事，他若不肯獻出佛衣，老孫將他肚腸就也織將一件出來。』

菩薩没法，只得也點點頭兒依他。行者笑道：『如何？』爾時菩薩乃以廣大慈悲，無邊法力，億萬化身，以心會意，以意會身，恍惚之間，變作凌虛仙子：

鶴氅仙風颯，飄飄欲步虛。蒼顏松柏老，秀色古今無。去去還無住，如如自有殊。總來歸一法，祇是隔邪軀。

行者看道：『妙啊！妙啊！還是妖精菩薩，還是菩薩妖精？』菩薩笑道：『悟空，菩薩、妖精，總是一念；若論本來，皆屬無有。』行者心下頓悟，轉身却就變做一粒仙丹：

走盤無不定，圓明未有方。三三勾漏合，六六少翁商。瓦鑠黄金焰，牟尼白晝光。外邊鉛與汞，未許易論量。

行者變了那顆丹，終是略大些兒。菩薩認定，拿了那個玻璃盤兒，徑到妖洞門口，看時，果然是：

崖深岫險，雲生嶺上；柏蒼松翠，風颯林間。崖深岫險，果是妖邪出没人煙少；柏蒼松翠，也可仙真修隱道情多。山有澗，澗有泉，潺潺流水咽鳴琴，便堪洗耳；崖有鹿，林有鶴，幽幽仙籟動閑岑，亦可賞心。這是妖仙有分降菩提，弘誓無邊垂惻隱。

菩薩看了，心中暗喜道：『這孽畜佔了這座山洞，却是也有些道分。』因此心中已此有個慈悲。

走到洞口，祇見守洞小妖，都有些認得道：『凌虛仙長來了。』一邊傳報，一邊接引。那妖早已迎出二門道：『凌虛，有勞仙駕珍顧，蓬蓽有輝。』菩薩道：『小道敬獻一粒仙丹，敢稱千壽。』他二人拜畢，方纔坐定，又叙起他昨日之事。菩薩不答，連忙拿丹盤道：『大王，且見小道鄙意。』覷定一粒大的，推與那妖道：『願大王千壽！』那妖亦推一粒，遞與菩薩道：『願與凌虛子同之。』讓畢，那妖才待要咽，那藥順口兒一直滾下。現了本相，理起四平，那妖滾倒在地。菩薩現相，問妖取了佛衣。行者早已從鼻孔中出去。菩薩又怕那妖無禮，却把一個箍兒，丢在那妖頭上。那妖起來，提槍要刺，行者、菩薩早已起在空中，菩薩將真言念起。那怪依舊頭疼，丢了槍，滿地亂滾。半空裏笑倒個美猴王，平地下滾壞個黑熊怪。

菩薩道：『孽畜！你如今可皈依麽？』那怪滿口道：『心願皈依，祇望饒命！』行者道恐耽擱了工夫，意欲就打。

他見菩薩出現，降得那老怪就地打滾，急急都散走了。行者一發行兇，將他那幾層門上，都積了幹柴，前前後後，一齊發火，把個黑風洞燒做個『紅風洞』，却拿了袈裟，駕祥光，轉回直北。

話說那三藏望行者急忙不來，心甚疑惑；不知是請菩薩不至，不知是行者託故而逃。正在那胡猜亂想之中，祇見半空中彩霧燦燦，行者忽墜階前，叫道：『師父，袈裟來了。』三藏大喜。衆僧亦無不歡悦道：『好了！好了！我等性命，今日方纔得全了。』三藏接了袈裟道：『悟空，你早間去時，原約到飯罷晌午，如何此時日西方回？』行者將那請菩薩施變化降妖的事情，備陳了一遍。三藏聞言，遂設香案，朝南禮拜罷。道：『徒弟啊，既然有了佛衣，可快收拾包裹去也。』行者道：『莫忙，莫忙。今日將晚，不是走路的時候，且待明日早行。』衆僧們一齊跪下道：『孫老爺説得是：一則天晚，二來我等有些願心兒，今幸平安，有了寶貝，待我還了願，請老爺散了福，明早再送西行。』行者道：『正是，正是。』你看那些和尚，都傾囊倒底，把那火裏搶出的餘資，各出所有，整頓了些齋供，燒了些平安無事的紙，念了幾卷消灾解厄的經。當晚事畢。

次早方刷扮了馬匹，包裹了行囊出門。衆僧遠送方回。行者引路而去，正是那春融時節。但見那：

草襯玉驄蹄跡軟，柳搖金綫露華新。桃杏滿林爭艶麗，薜蘿繞徑放精神。沙堤日暖鴛鴦睡，山澗花香蛺蝶馴。這般秋去冬殘春過半，不知何年行滿得真文。

師徒們行了五七日荒路，忽一日天色將晚，遠遠的望見一村人家。三藏道：『悟空，你看那壁厢有座山莊相近，我們去告宿一宵，明日再行如何？』行者道：『且等老孫去看看吉凶，再作區處。』那師父挽住絲繮，這行者定睛觀看，真個是：

菩薩急止住道：『休傷他命。我有用他處哩。』行者道：『這樣怪物，不打死他，反留他在何處用哩？』菩薩道：『我那落伽山後，無人看管，我要帶他去做個守山大神。』行者笑道：『誠然是個救苦慈尊，一靈不損。若是老孫有這樣咒語，就念上他娘千遍！這回兒就有許多黑熊，都教他了帳！』

却說那怪蘇醒多時，公道難禁疼痛，只得跪在地下哀告道：『但饒性命，願皈正果！』菩薩方墜落祥光，又與他摩頂受戒，教他執了長槍，跟隨左右。那黑熊才一片野心今日定，無窮頑性此時收。菩薩吩咐道：『悟空，你回去罷。好生伏侍唐僧是，休懈惰生事。』行者道：『深感菩薩遠來，弟子還當回送回送。』菩薩道：『免送。』行者才捧着袈裟，叩頭而別。菩薩亦帶了熊羆，徑回大海。有詩爲證：

祥光靄靄凝金像，萬道繽紛實可誇。普濟世人垂憫恤，遍觀法界現金蓮。今來多爲傳經意，此去原無落點瑕。降怪成真歸大海，空門復得錦袈裟。

畢竟不知向後事情如何，且聽下回分解。

總批：

祇爲一領袈裟，生出多少事來。古宿雲：『着了袈裟事更多。』諒哉。

黑熊偷了袈裟作『佛衣大會』，這叫做親傳衣鉢，該與孫行者稱同衣了。一笑，一笑。

竹籬密密，茅屋重重。參天野樹迎門，曲水溪橋映户。道旁楊柳綠依依，園內花開香馥馥。此時那夕照沉西，處處山林喧鳥雀；晚煙出爨，條條道徑轉牛羊。又見那食飽鷄豚眠屋角，醉酣鄰叟唱歌來。

行者看罷道：『師父請行。定是一村好人家，正可借宿。』

那長老催動白馬，早到街衢之口。又見一個少年，頭裹綿布，身穿藍襖，持傘揹包，斂褌紥褲，脚踏着一雙三耳草鞋，雄赳赳的，出街忙走。行者順手一把扯住道：『那裏去？我問你一個信兒：此間是甚麼地方？』那個人祇管苦掙，口裏嚷道：『我莊上没人？只是我好問信！』行者陪着笑道：『施主莫惱。「與人方便，自己方便。」你就與我説説地名何害？我也可解得你的煩惱。』那人掙不脱手，氣得亂跳道：『蹭蹬！蹭蹬！家長的屈氣受不了，又撞着這個光頭，受他的清氣！』行者道：『你有本事，劈開我的手，你便就去了也罷。』那人左扭右扭，那裏扭得動，却似一把鐵鈐鉗住一般，氣得他丢了包袱，撇了傘，兩隻手，雨點似來抓行者。行者把一隻手扶着行李，一隻手抵住那人，憑他怎麼支吾，只是不能抓着。行者愈加不放，急得爆燥如雷。三藏道：『悟空，那裏不有人來了？你再問那人就是，祇管扯住他怎的？放他去罷。』行者笑道：『師父不知。若是問了别人没趣，須是問他，才有買賣。』那人被行者扯住不放，只得説出道：『此處乃是烏斯藏國界之地，唤做高老莊。一莊人家有大半姓高，故此唤做高老莊。你放了我去罷。』行者又道：『你這樣行裝，不是個走近路的。你實與我説，你要往那裏去，端的所幹何事，我纔放你。』

這人無奈，只得以實情告訴道：『我是高太公的家人，名叫高才。我那太公有個老女兒，年方二十歲，更不曾配人，三年前被一個妖精佔了。那妖整做了這三年女婿。我太公不悦，説道：「女兒招了妖精，不是長法：一則敗壞家門，二則没個親家來往。」一向要退這妖精。那妖精那裏肯退，轉把女兒關在他後宅，將有半年，再不放出與家内人相見。我太公與了我幾兩銀子，教我尋訪法師，拿那妖怪。我這些時不曾住脚，前前後後，請了有三四個人，都是不濟的和尚，膿包的道士，降不得那妖精。剛纔罵了我一場，説我不會幹事，又與了我五錢銀子做盤纏，教我再去請好法師降他。不期撞着你這個紇刺星扯住，誤了我走路，故此裏外受氣，我無奈，才與你叫喊。不想你又有些拿法，我掙不過你，所以説此實情。你放我去罷。』行者道：『你的造化，我有營生。這才是凑四合六的勾當。你也不須遠行，莫要花費了銀子。我們不是那不濟的和尚，膿包的道士，其實有些手段，慣會拿妖。這正是「一來照顧郎中，二來又醫得眼好」。煩你回去上復你那家主，説我們是東土駕下差來的御弟聖僧，往西天拜佛求經者，善能降妖縛怪。』高才道：『你莫誤了我。我是一肚子氣的人，你錯哄了我，没甚手段，拿不住那妖精，却不又帶累我來受氣？』行者道：『管教不誤了你。你引我到你家門首去來。』

那人也無計奈何，真個提着包袱，拿了傘，轉步回身，領他師徒到于門首道：『二位長老，你且在馬臺上略坐坐，等我進去報主人知道。』行者才放了手，落擔牽馬，師徒們坐立門旁等候。

那高才入了大門，徑往中堂上走，可可的撞見高太公。太公罵道：『你那個蠻皮畜生，怎麼不去尋人，又回來做甚？』高才放下包傘道：『上告主人公得知，小人才行出街口，忽撞見兩個和尚：一個騎馬，一個挑擔。他扯住我不放，問我那裏去。我再三不曾與他説及，他纏得没奈何，不得脱手，遂將主人公的事情，一一説與他知。他却十分歡喜，要與我們拿那妖怪哩。』高老道：『是那裏來的？』高才道：『他説是東土駕下差來的御弟聖僧，前往西天拜佛求經的。』太公道：『既是遠來的和尚，怕不真有些手段。他如今在那裏？』高才道：『現在門外等候。』

那太公即忙換了衣服，與高才出來迎接，叫聲『長老』。三藏聽見，急轉身，早已到了面前。那老者戴一頂烏綾巾，穿一領葱白蜀錦衣，踏一雙糙米皮的犢子靴，繫一條黑綠縧子，出來笑語相迎，便叫：『二位長老，作揖了。』三藏還了禮，行者站着不動。那老者見他相貌兇醜，便就不敢與他作揖。行者道：『怎麼不唱老孫喏？』那老兒有幾分害怕，叫高才道：『你這小厮却不弄殺我也？家裏現有一個醜頭怪腦的女婿打發不開，怎麼又引這個雷公

來害我？」行者道：「老高，你空長了許大年紀，還不省事！若專以相貌取人，乾净錯了。我老孫醜自醜，卻有些本事。替你家擒得妖精，捉得鬼魅，拿住你那女婿，還了你女兒，便是好事，何必諄諄以相貌爲言！」太公見說，戰兢兢的，只得强打精神，叫聲「請進」。這行者見請，才牽了白馬，教高才挑着行李，與三藏進去。他也不管好歹，就把馬拴在敞廳柱上，扯過一張退光漆交椅，叫三藏坐下。他又扯過一張椅子，坐在旁邊。那高老道：「這個小長老，倒也家懷。」行者道：「你若肯留我住得半年，還家懷哩。」

坐定，高老問道：「適間小價說，二位長老是東土來的？」三藏道：「便是。貧僧奉朝命往西天拜佛求經，因過寶莊，特借一宿，明日早行。」高老道：「二位原是借宿的，怎麽説會拿怪？」行者道：「因是借宿，順便拿幾個妖怪兒耍耍的。動問府上有多少妖怪？」高老道：「天那！還吃得有多少哩！衹這一個怪女婿，也被他磨慌了！」行者道：「你把那妖怪的始末，有多大手段，從頭兒説説我聽，我好替你拿他。」

高老道：「我們這莊上，自古至今，也不曉得有甚麽鬼祟魍魎，邪魔作耗。只是老拙不幸，不曾有子，止生三個女兒：大的唤名香蘭，第二的名玉蘭，第三的名翠蘭。那兩個從小兒配與本莊人家，止有小的個，要招個女婿，指望他與我同家過活，做個養老女婿，撑門抵户，做活當差。不期三年前，有一個漢子，模様兒倒也精緻，他説是福陵山上人家，姓猪，上無父母，下無兄弟，願與人家做個女婿。我老拙見是這般一個無根無絆的人，就招了他。一進門時，倒也勤謹：耕田耙地，不用牛具；收割田禾，不用刀杖。昏去明來，其實也好；只是一件，有些會變嘴臉。」行者道：「怎麽變麽？」高老道：「初來時，是一條黑胖漢，後來就變做一個長嘴大耳朵的呆子，腦後又有一溜鬃毛，身體粗糙怕人，頭臉就像個猪的模様。食腸卻又甚大：一頓要吃三五斗米飯；早間點心，也得百十個燒餅才够。喜得還吃齋素，若再吃葷酒，便是老拙這些家業田産之類，不上半年，就吃個罄净！」三藏道：「衹因他做得，所以吃得。」高老道：「吃還是件小事，他如今又會弄風，雲來霧去，走石飛砂，唬得我一家并左鄰右舍，俱不得安生。又把那翠蘭小女關在後宅子裏，一發半年也不曾見面，更不知死活如何。因此知他是個妖怪，要請個法師與他去退去退。」行者道：「這個何難？老兒你管放心，今夜管情與你拿住，教他寫個退親文書，還你女兒如何？」高老大喜道：「我爲招了他不打緊，壞了我多少清名，疏了我多少親眷；但得拿住他，要甚麽文書？就煩與我除了根罷。」行者道：「容易！容易！入夜之時，就見好歹。」

老兒十分歡喜，才教展抹桌椅，擺列齋供。齋罷，將晚，老兒問道：「要甚兵器？要多少人隨？趁早好備。」行者道：「兵器我自有。」老兒道：「二位只是那根錫杖，錫杖怎麽打得妖精？」行者隨于耳内取出一個綉花針來，捻在手中，迎風幌了一幌，就是碗來粗細的一根金箍鐵棒，對着高老道：「你看這條棍子，比你家兵器如何？可打得這怪否？」高老又道：「既有兵器，可要人跟？」行者道：「我不用人，只是要幾個年高有德的老兒，陪我師父清坐閑叙，我好撇他而去。等我把那妖精拿來，對衆取供，替你除了根罷。」那老兒即唤家僮，請了幾個親故朋友。一時都到。相見已畢，行者道：「師父，你放心穩坐，老孫去也。」

你看他攥着鐵棒，扯着高老道：「你引我去後宅子裏，妖精的住處看看。」高老遂引他到後宅門首。行者道：「你快取鑰匙來。」高老道：「你且看看。若是用得鑰匙，卻不請你了。」行者笑道：「你那老兒，年紀雖大，卻不識耍。我把這話兒哄你一哄，你就當真。」走上前，摸了一摸，原來是銅汁灌的鎖子。狠得他將金箍棒一搗，搗開門扇，裏面卻黑洞洞的。行者道：「老高，你去叫你女兒一聲，看他可在裏面。」那老兒硬着膽叫道：「三姐姐。」那女兒認得是他父親的聲音，才少氣無力的應了一聲道：「爹爹，我在這裏哩。」行者閃金睛，向黑影裏仔細看時，你道他怎生模様？但見那：

雲鬢亂堆無掠，玉容未洗塵淄。一片蘭心依舊，十分嬌態傾頽。櫻唇全無氣血，腰肢屈屈偎偎。愁蹙蹙，蛾眉淡；瘦怯怯，語聲低。

他走來看見高老，一把扯住，抱頭大哭。行者道：『且莫哭！且莫哭！我問你，妖怪往那裏去了？』女子道：『不知往那裏去。這些時，天明就去，入夜方來。雲雲霧霧，往回不知何所。因是曉得父親要祛退他，他也常常防備，故此昏來朝去。』行者道：『不消說了。老兒，你帶令愛往前邊宅裏，慢慢的叙闊，讓老孫在此等他。他若不來，你却莫怪；他若來了，定與你剪草除根。』那老高歡歡喜喜的，把女兒帶將前去。

行者却弄神通，搖身一變，變得就如那女子一般，獨自個坐在房裏等那妖精。不多時，一陣風來，真個是走石飛砂。好風：

起初時微微蕩蕩，向後來渺渺茫茫。微微蕩蕩乾坤大，渺渺茫茫無阻礙。雕花折柳勝摁麻，倒樹摧林如拔菜。翻江攪海鬼神愁，裂石崩山天地怪。啣花麋鹿失來踪，摘果猿猴迷在外。七層鐵塔侵佛頭，八面幢幡傷寶蓋。金梁玉柱起根搖，房上瓦飛如燕塊。舉棹艄公許願心，開船忙把猪羊賽。當坊土地弃祠堂，四海龍王朝上拜。海邊撞損夜叉船，長城颳倒半邊塞。

那陣狂風過處，衹見半空裏來了一個妖精，果然生得醜陋：黑臉短毛，長喙大耳，穿一領青不青、藍不藍的梭布直裰，繫一條花布手巾。行者暗笑道：『原來是這個買賣！』好行者，却不迎他，也不問他，且睡在床上推病，口裏哼哼嘖嘖的不絕。

那怪不識真假，走進房，一把摟住，就要親嘴。行者暗笑道：『真個要來弄老孫哩！』即使個拿法，托着那怪的長嘴，叫做個小跌。漫頭一料，撲的摜下床來。那怪爬起來，扶着床邊道：『姐姐，你怎麽今日有些怪我？想是我來得遲了？』行者道：『不怪！不怪！』那妖道：『既不怪我，怎麽就丢我這一跌？』行者道：『你怎麽就這等樣小家子，就摟我親嘴？我因今日有些不自在，若每常好時，便起來開門等你了。你可脱了衣服睡是。』那怪不解其意，真個就去脱衣。行者跳起來，坐在净桶上。那怪依舊復來床上摸一把，摸不着人，叫道：『姐姐，你往那裏去了？請脱衣服睡罷。』行者道：『你先睡，等我出個恭來。』那怪果先解衣上床。行者忽然嘆口氣，道聲『造化低了！』那怪道：『你惱怎的？造化怎麽得低的？我得到了你家，雖是吃了些茶飯，却也不曾白吃你的：我也曾替你家掃地通溝，搬磚運瓦，築土打墻，耕田耙地，種麥插秧，創家立業。如今你身上穿的錦，戴的金，四時有花果享用，八節有蔬菜烹煎，你還有那些兒不趁心處，這般短嘆長吁，説甚麽造化低了！』行者道：『不是這等說。今日我的父母，隔着墻，丢磚料瓦的，甚是打我罵我哩。』那怪道：『他打罵你怎的？』行者道：『他說我和你做了夫妻，你是他門下一個女婿，全没些兒禮體。這樣個醜嘴臉的人，又會不得姨夫，又見不得親戚，又不知你雲來霧去，端的是那裏人家，姓甚名誰，敗壞他清德，玷辱他門風，故此這般打罵，所以煩惱。』那怪道：『我雖是有些兒醜陋，若要俊，却也不難。我一來時，曾與他講過，他願意方纔招我。今日怎麽又説起這話！我家住在福陵山雲棧洞。我以相貌爲姓，故姓猪，官名叫做猪剛鬣。他若再來問你，你就以此話與他説便了。』

行者暗喜道：『那怪却也老實，不用動刑，就供得這等明白。既有了地方、姓名，不管怎的也拿住他。』行者道：『他要請法師來拿你哩。』那怪笑道：『睡着！睡着！莫睬他！我有天罡數的變化，九齒的釘鈀，怕甚麽法師、和尚、道士？就是你老子有虔心，請下九天蕩魔祖師下界，我也曾與他做過相識，他也不敢怎的我。』行者道：『他說請一個五百年前大鬧天宫姓孫的齊天大聖，要來拿你哩。』那怪聞得這個名頭，就有三分害怕道：『既是這等說，我去了罷。兩口子做不成了。』行者道：『你怎的就去？』那怪道：『你不知道。那鬧天宫的弼馬温，有些本事，衹恐我弄他不過，低了名頭，不像模樣。』

說罷，套上衣服，開了門，往外就走；被行者一把扯住，將自己臉上抹了一抹，現出原身。喝道：『好妖怪，那裏走！你抬頭看看我是那個？』那怪轉過眼來，看見行者咨牙倈嘴，火眼金睛，磕頭毛臉，就是個活雷公相似，慌得他手麻脚軟，劃剌的一聲，掙破了衣服，化狂風脱身而去。行者急上前，掣鐵棒，望風打了一下。那怪化萬

道火光，徑轉本山而去。行者駕雲，隨後趕來，叫聲『那裏走！你若上天，我就趕到斗牛宮！你若入地，我就追至枉死獄！』

咦！畢竟不知這一去趕至何方，有何勝敗，且聽下回分解。

總批：

真是一對好夫妻，畢竟老婆强似老公。大抵今日天下就有老猪做老公，還有老孫來做老婆降伏他。如何好不怕老婆，如何好不怕老婆！

行者妝女兒處，尚少描畫；若能設身做出夫妻模樣，更當令人絶倒。

第十九回 雲棧洞悟空收八戒 浮屠山玄奘受心經

却說那怪的火光前走，這大聖的彩霞隨後。正行處，忽見一座高山，那怪把紅光結聚，現了本相，撞入洞內，取出一柄九齒釘鈀來戰。行者喝一聲道：『潑怪！你是那裏來的邪魔？怎麼知道我老孫的名號？你有甚麼本事，實實供來，饒你性命！』那怪道：『是你也不知我的手段！上前來站穩着，我說與你聽：我

自小生來心性拙，貪閑愛懶無休歇。不曾養性與修真，混沌迷心熬日月。忽然閑裏遇真仙，就把寒温坐下說。勸我回心莫墮凡，傷生造下無邊孽。有朝大限命終時，八難三途悔不喋。聽言意轉要修行，聞語心回求妙訣。有緣立地拜爲師，指示天關并地闕。得傳九轉大還丹，工夫晝夜無時輟。上至頂門泥丸宮，下至脚板涌泉穴。周流腎水入華池，丹田補得温温熱。嬰兒姹女配陰陽，鉛汞相投分日月。離龍坎虎用調和，靈龜吸盡金烏血。三花聚頂得歸根，五氣朝元通透徹。功圓行滿却飛昇，天仙對對來迎接。朗然足下彩雲生，身輕體健朝金闕。玉皇設宴會群仙，各分品級排班列。敕封元帥管天河，總督水兵稱憲節。祇因王母會蟠桃，開宴瑤池邀衆客。那時酒醉意昏沉，東倒西歪亂撒潑。逞雄撞入廣寒宮，風流仙子來相接。見他容貌挾人魂，舊日凡心難得滅。全無上下失尊卑，扯住嫦娥要陪歇。再三再四不依從，東躲西藏心不悦。色膽如天叫似雷，險些震倒天關闕。糾察靈官奏玉皇，那日吾當命運拙。廣寒圍困不通風，進退無門難得脱。却被諸神拿住我，酒在心頭還不怯。押赴靈霄見玉皇，依律問成該處决。多虧太白李金星，出班俯囟親言說。改刑重責二千錘，肉綻皮開骨將折。放生遭貶出天關，福陵山下圖家業。我因有罪錯投胎，俗名喚做猪剛鬣。』

行者聞言道：『你這廝原來是天蓬水神下界。怪道知我老孫名號。』那怪道聲：『哏！你這誑上的弼馬温，當年撞那禍時，不知帶累我等多少，今日又來此欺人！不要無禮！吃我一鈀！』行者怎肯容情，舉起棒，當頭就打。他兩個在那半山之中，黑夜裏賭鬥。好殺：

行者金睛似閃電，妖魔環眼似銀花。這一個口噴彩霧，那一個氣吐紅霞。氣吐紅霞昏處亮，口噴彩霧夜光華。金箍棒，九齒鈀，兩個英雄實可誇：一個是大聖臨凡世，一個是元帥降天涯。那個因失威儀成怪物，這個幸逃苦難拜僧家。鈀去好似龍伸爪，棒迎渾若鳳穿花。那個道：『你破人親事如殺父！』這個道：『你强姦幼女正該拿！』閑言語，亂喧嘩，往往來來棒架鈀。看看戰到天將曉，那妖精兩膊覺酸麻。

他兩個自二更時分，直鬥到東方發白。那怪不能迎敵，敗陣而逃，依然又化狂風，徑回洞裏，把門緊閉，再不出頭。行者在這洞門外看有一座石碣，上書『雲棧洞』三字，見那怪不出，天又大明，心却思量：『恐師父等候，且回去見他一見，再來捉此怪不遲。』隨踏雲點一點，早到高老莊。

却說三藏與那諸老談今論古，一夜無眠。正想行者不來，衹見天井裏，忽然站下行者。行者收藏鐵棒，整衣上廳，叫道：『師父，我來了。』慌得那諸老一齊下拜，謝道：『多勞！多勞！』三藏問道：『悟空，你去這一夜，拿得妖精在那裏？』行者道：『師父，那妖不是凡間的邪祟，也不是山間的怪獸。他本是天蓬元帥臨凡，衹因錯投了胎，嘴臉像一個野猪模樣，其實性靈尚存。他說以相爲姓，喚名猪剛鬣。是老孫從後宅裏掣棒就打，他化一陣狂風走了。被老孫着風一棒，他就化道火光，徑轉他那本山洞裏，取出一柄九齒釘鈀，與老孫戰了一夜。適纔天色將明，他怯戰而走，把洞門緊閉不出。老孫還要打開那門，與他見個好歹，恐師父在此疑慮盼望，故先來回個信息。』

説罷，那老高上前跪下道：『長老，没及奈何，你雖趕得去了，他等你去後復來，却怎區處？索性累你與我拿住，除了根，才無後患。我老夫不敢怠慢，自有重謝：將這家財田地，憑衆親友寫立文書，與長老平分。只是要剪草除根，莫教壞了我高門清德。』

行者笑道：『你這老兒不知分限。那怪也曾對我説，他雖是食腸大，吃了你家些茶飯，他與你幹了許多好事。這幾年掙了許多家資，皆是他之力量。他不曾白吃了你東西，問你祛他怎的。據他説，他是一個天神下界，替你把家做活，又未曾害了你家女兒。想這等一個女婿，也門當户對，不怎麽壞了家聲，辱了行止。當真的留他也罷。』老高道：『長老，雖是不傷風化，但名聲不甚好聽。動不動着人就説：「高家招了一個妖怪女婿！」這句話兒教人怎當？』三藏道：『悟空，你既是與他做了一場，一發與他做個竭絕，才見始終。』行者道：『我纔試他一試耍子。此去一定拿來與你們看。且莫憂愁。』叫：『老高，你還好生管待我師父，我去也。』

説聲去，就無形無影的，跳到他那山上，來到洞口，一頓鐵棍，把兩扇門打得粉碎。口裏罵道：『那鑲糠的夯貨，快出來與老孫打麽！』那怪正喘嘘嘘的，睡在洞内。聽見打得門響，又聽見罵鑲糠的夯貨，他却惱怒難禁，只得拖着鈀，抖擻精神，跑將出來，厲聲罵道：『你這個弼馬温，着實憊懶！與你有甚相幹，你把我大門打破？你且去看看律條，打進大門而入，該個雜犯死罪哩！』行者笑道：『這個呆子！我就打了大門，還有個辯處。像你强佔人家女子，又没個三媒六證，又無些茶紅酒禮，該問個真犯斬罪哩！』那怪道：『且休閑講，看老猪這鈀！』行者使棍支住道：『你這鈀可是與高老家做園工築地種菜的？有何好處怕你！』那怪道：『你錯認了！這鈀豈是凡間之物？你且聽我道來：

此是煅煉神冰鐵，磨琢成工光皎潔。老君自己動鈐錘，熒惑親身添炭屑。五方五帝用心機，六丁六甲費周折。造成九齒玉垂牙，鑄就雙環金墜葉。身妝六曜排五星，體按四時依八節。短長上下定乾坤，左右陰陽分日月。六爻神將按天條，八卦星辰依斗列。名爲上寶遜金鈀，進與玉皇鎮丹闕。因我修成大羅仙，爲吾養就長生客。敕封元帥號天蓬，欽賜釘鈀爲御節。舉起烈焰併毫光，落下猛風飄瑞雪。天曹神將盡皆驚，地府閻羅心膽怯。人間那有這般兵，世上更無此等鐵。隨身變化可心懷，任意翻騰依口訣。相携數載未曾離，伴我幾年無日别。日食三餐并不丢，夜眠一宿渾無撇。也曾珮去赴蟠桃，也曾帶他朝帝闕。皆因仗酒却行兇，衹爲倚强便撒潑。上天貶我降凡塵，下世盡我作罪孽。石洞心邪曾吃人，高莊情喜婚姻結。這鈀下海掀翻龍鼉窩，上山抓碎虎狼穴。諸般兵刃

且休題，惟有吾當鈀最切。相持取勝有何難，賭鬥求功不用説。何怕你銅頭鐵腦一身鋼，鈀到魂消神氣泄！」

行者聞言，收了鐵棒道：「呆子不要説嘴！老孫把這頭伸在那裏，你且築一下兒，看可能魂消氣泄。」那怪真個舉起鈀，着氣力築將來。撲的一下，鑽起鈀的火光焰焰，更不曾築動一些兒頭皮。唬得他手麻脚軟，道聲「好頭！好頭！」行者道：「你是也不知。老孫因爲鬧天宮，偷了仙丹，盜了蟠桃，竊了御酒，被小聖二郎擒住，押在斗牛宮前，衆天神把老孫斧剁錘敲，刀砍劍刺，火燒雷打，也不曾損動分毫。又被那太上老君拿了我去，放在八卦爐中，將神火煅煉，煉做個火眼金睛，銅頭鐵臂。不信，你再築幾下，看看疼與不疼。」

那怪道：「你這猴子，我記得你鬧天宮時，家住在東勝神洲傲來國花果山水簾洞裏，到如今久不聞名，你怎麽來到這裏，上門子欺我？莫敢是我丈人去那裏請你來的？」行者道：「你丈人不曾去請我。因是老孫改邪歸正，弃道從僧，保護一個東土大唐駕下御弟，叫做三藏法師，往西天拜佛求經，路過高莊借宿，那高老兒因話説起，就請我救他女兒，拿你這饢糠的夯貨！」

那怪一聞此言，丢了釘鈀，唱個大喏道：「那取經人在那裏？累煩你引見引見。」行者道：「你要見他怎的？」那怪道：「我本是觀世音菩薩勸善，受了他的戒行，這裏持齋把素，教我跟隨那取經人往西天拜佛求經，將功折罪，還得正果。教我等他，這幾年不聞消息。今日既是你與他做了徒弟，何不早説取經之事，祇倚兇强，上門打我？」行者道：「你莫詭詐欺心軟我，欲爲脱身之計。果然是要保護唐僧，略無虚假，你可朝天發誓，我纔帶你去見我師父。」那怪撲的跪下，望空似搗碓的一般，祇管磕頭道：「阿彌陀佛，南無佛，我若不是真心實意，還教我犯了天條，劈屍萬段！」

行者見他賭咒發願，道：「既然如此，你點把火來燒了你這住處，我方帶你去。」那怪真個搬些蘆葦荆棘，點着一把火，將那雲棧洞燒得像個破瓦窑。對行者道：「我今已無挂礙了，你却引我去罷。」行者道：「你把釘鈀與

我拿着。』那怪就把鈀遞與行者。行者又拔了一根毫毛，吹口仙氣，叫『變！』即變做一條三股麻繩，走過來，把手背綁剪了。那怪真個倒揹着手，憑他怎麼綁縛。却又揪着耳朵，拉着他，叫『快走！快走！』那怪道：『輕着些兒！你的手重，揪得我耳根子疼。』行者道：『輕不成！顧你不得！常言道：「善猪惡拿。」祇等見了我師父，果有真心，方纔放你。』他兩個半雲半霧的，徑轉高家莊來。有詩爲證：

金性剛强能克木，心猿降得木龍歸。金從木順皆爲一，木戀金仁總發揮。一主一賓無間隔，三交三合有玄微。性情併喜貞元聚，同證西方話不違。

頃刻間，到了莊前。行者揝着他的鈀，揪着他的耳道：『你看那廳堂上端坐的是誰？乃吾師也。』那高氏諸親友與老高，忽見行者把那怪背綁揪耳而來，一個個欣然迎到天井中，道聲『長老！長老！他正是我家的女婿！』那怪走上前，雙膝跪下，揹着手，對三藏叩頭，高叫道：『師父，弟子失迎。早知是師父住在我丈人家，我就來拜接，怎麼又受到許多周折？』三藏道：『悟空，你怎麼降得他來拜我？』行者才放了手，拿釘鈀柄兒打着，喝道：『呆子！你說麼！』那怪把菩薩勸善事情，細陳了一遍。

三藏大喜。便叫：『高太公，取個香案用用。』老高即忙抬出香案。三藏净了手焚香，望南禮拜道：『多蒙菩薩聖恩！』那幾個老兒也一齊添香禮拜。拜罷，三藏上廳高坐，教悟空放了他繩。行者才把身抖了一抖，收上身來，其縛自解。那怪從新禮拜三藏，願隨西去。又與行者拜了，以先進者爲兄，遂稱行者爲師兄。三藏道：『既從吾善果，要做徒弟，我與你起個法名，早晚好呼喚。』他道：『師父，我是菩薩已與我摩頂受戒，起了法名，叫做猪悟能也。』三藏笑道：『好！好！你師兄叫做悟空，你叫做悟能，其實是我法門中的宗派。』悟能道：『師父，我受了菩薩戒行，斷了五葷三厭，在我丈人家持齋把素，更不曾動葷；今日見了師父，我開了齋罷。』三藏道：『不可！不可！你既是不吃五葷三厭，我再與你起個別名，喚爲八戒。』那呆子歡歡喜喜道：『謹遵師命。』因此又叫做猪八戒。

高老見這等去邪歸正，更十分喜悅。遂命家僮安排筵宴，酬謝唐僧。八戒上前扯住老高道：『爺，請我拙荊出來拜見公公、伯伯，如何？』行者笑道：『賢弟，你既入了沙門，做了和尚，從今後，再莫題起那「拙荊」的話說。世間祇有個火居道士，那裏有個火居的和尚？我們且來叙了坐次，吃頓齋飯，趕早兒往西天走路。』

高老兒擺了桌席，請三藏上坐。行者與八戒，坐于左右兩旁。諸親下坐。高老把素酒開樽，滿斟一杯，奠了天地，然後奉與三藏。三藏道：『不瞞太公說，貧僧是胎裏素，自幼兒不吃葷。』老高道：『因知老師清素，不曾敢動葷。此酒也是素的，請一杯不妨。』三藏道：『也不敢用酒。酒是我僧家第一戒者。』悟能慌了道：『師父，我自持齋，却不曾斷酒。』悟空道：『老孫雖量窄，吃不上壇把，却也不曾斷酒。』三藏道：『既如此，你兄弟們吃些素酒也罷。只是不許醉飲誤事。』遂而他兩個接了頭鍾。各人俱照舊坐下，擺下素齋。說不盡那杯盤之盛，品物之豐。

師徒們宴罷，老高將一紅漆丹盤，拿出二百兩散碎金銀，奉三位長老爲途中之費；又將三領綿布褊衫，爲上蓋之衣。三藏道：『我們是行脚僧，遇莊化飯，逢處求齋，怎敢受金銀財帛？』行者近前，輪開手，抓了一把。叫：『高才，昨日累你引我師父，今日招了一個徒弟，無物謝你，把這些碎金碎銀，權作帶領錢，拿了去買草鞋穿。以後但有妖精，多作成我幾個，還有謝你處哩。』高才接了，叩頭謝賞。老高又道：『師父們既不受金銀，望將這粗衣笑納，聊表寸心。』三藏又道：『我出家人，若受了一絲之賄，千劫難修。只是把席上吃不了的餅果，帶些去做乾糧足矣。』八戒在旁邊道：『師父、師兄，你們不要便罷，我與他家做了這幾年女婿，就是挂脚糧也該三石哩。——丈人啊，我的直裰，昨晚被師兄扯破了，與我一件青錦袈裟；鞋子綻了，與我一雙好新鞋子。』高老聞言，不敢不與。隨買一雙新鞋，將一領褊衫，換下舊時衣物。

那八戒搖搖擺擺，對高老唱個喏道：『上復丈母、大姨、二姨併姨夫、姑舅諸親：我今日去做和尚了，不及面辭，休怪。丈人啊，你還好生看待我渾家：只怕我們取不成經時，好來還俗，照舊與你做女婿過活。』行者喝道：

「夯貨！却莫胡説！」八戒道：「哥呵，不是胡説，祇恐一時間有些兒差池，却不是和尚誤了做，老婆誤了娶，兩下裏都耽擱了？」三藏道：「少題閑話，我們趁早兒去來。」遂此收拾了一擔行李，八戒擔着，背了白馬，三藏騎着，行者肩擔鐵棒，前面引路。一行三衆，辭別高老及衆親友，投西而去。有詩爲證。詩曰：

滿地煙霞樹色高，唐朝佛子苦勞勞。飢餐一鉢千家飯，寒着千針一衲袍。意馬胸頭休放蕩，心猿乖劣莫教嚎。情和性定諸緣合，月滿金華是伐毛。

三衆西進路途，有個月平穩。行過了烏斯藏界，猛抬頭見一座高山。三藏停鞭勒馬道：「悟空、悟能，前面山高，須索仔細，仔細。」八戒道：「没事。這山喚做浮屠山，山中有一個烏巢禪師，在此修行。老猪也曾會他。」三藏道：「他有些甚麽勾當？」八戒道：「他倒也有些道行。他曾勸我跟他修行，我不曾去罷了。」師徒們説着話，不多時，到了山上。好山！但見那：

山南有青松碧檜，山北有緑柳紅桃。鬧聒聒，山禽對語；舞翩翩，仙鶴齊飛。香馥馥，諸花千様色；青冉冉，雜草萬般奇。澗下有滔滔緑水，崖前有朵朵祥雲。真個是景致非常幽雅處，寂然不見往來人。

那師父在馬上遥觀，見香檜樹前，有一柴草窩。左邊有麋鹿啣花，右邊有山猴獻果。樹梢頭，有青鸞彩鳳齊鳴，玄鶴錦鷄咸集。八戒指道：「那不是烏巢禪師！」三藏縱馬加鞭，直至樹下。

却説那禪師見他三衆前來，即便離了巢穴，跳下樹來。三藏下馬奉拜，那禪師用手攙道：「聖僧請起。失迎，失迎。」八戒道：「老禪師，作揖了。」禪師驚問道：「你是福陵山猪剛鬣，怎麽有此大緣，得與聖僧同行？」八戒道：「前年蒙觀音菩薩勸善，願隨他做個徒弟。」禪師大喜道：「好，好，好！」又指定行者，問道：「此位是誰？」行者笑道：「這老禪怎麽認得他，倒不認得我？」禪師道：「因少識耳。」三藏道：「他是我的大徒弟孫悟空。」禪師陪笑道：「欠禮，欠禮。」

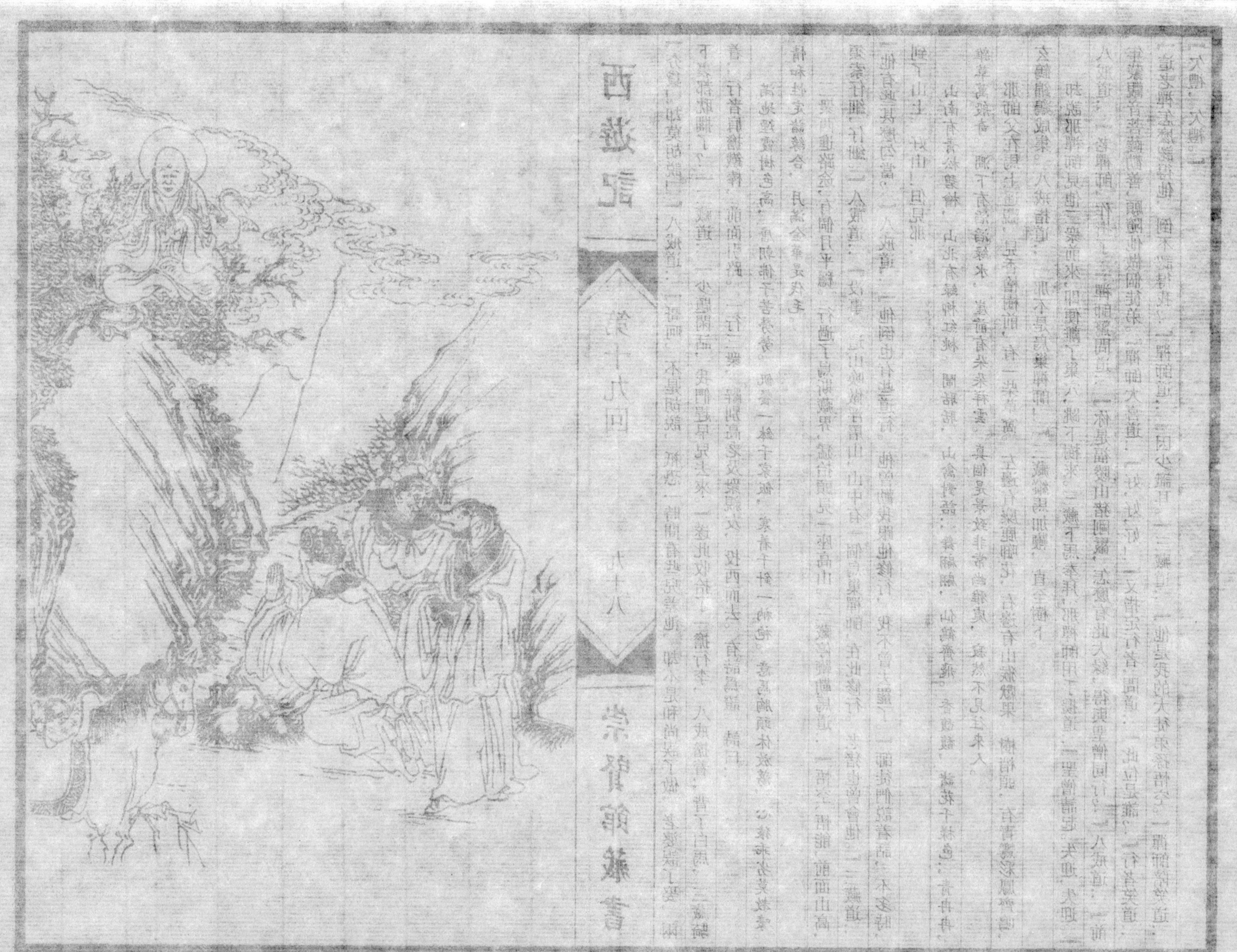

三藏再拜，請問西天大雷音寺還在那裏。禪師道：『遠哩！遠哩！只是路多虎豹，難行。』三藏殷勤致意，再問：『路途果有多遠？』禪師道：『路途雖遠，終須有到之日，却只是魔瘴難消。我有《多心經》一卷，凡五十四句，共計二百七十字。若遇魔瘴之處，但念此經，自無傷害。』三藏拜伏于地懇求，那禪師遂口誦傳之。經云：

『《摩訶般若波羅蜜多心經》。觀自在菩薩，行深般若波羅蜜多，時照見五蘊皆空，度一切苦厄。捨利子，色不异空，空不异色，色即是空，空即是色。受想行識，亦復如是。捨利子，是諸法空相，不生不滅，不垢不净，不增不減。是故空中無色，無受想行識，無眼耳鼻舌身意，無色聲香味觸法，無眼界，乃至無意識界，無無明，亦無無明盡。乃至無老死，亦無老死盡。無苦寂滅道，無智亦無得。以無所得故，菩提薩埵。依般若波羅蜜多故，心無挂礙；無挂礙故，無有恐怖，遠離顛倒夢想，究竟涅槃。三世諸佛，依般若波羅蜜多故，得阿耨多羅三藐三菩提。故知般若波羅蜜多，是大神咒，是大明咒，是無上咒，是無等等咒，能除一切苦，真實不虛。故說般若波羅蜜多咒，即說咒曰：「揭諦！揭諦！波羅揭諦！波羅僧揭諦！菩提薩婆訶！」』

此時唐朝法師本有根源，耳聞一遍《多心經》，即能記憶，至今傳世。此乃修真之總經，作佛之會門也。

那禪師傳了經文，踏雲光，要上烏巢而去，被三藏又扯住奉告，定要問個西去的路程端的。那禪師笑云：

『道路不難行，試聽我吩咐：千山千水深，多瘴多魔處。若遇接天崖，放心休恐怖。行來摩耳岩，側着脚踪步。仔細黑松林，妖狐多截路。精靈滿國城，魔主盈山住。老虎坐琴堂，蒼狼爲主簿。獅象盡稱王，虎豹皆作御。野猪挑擔子，水怪前頭遇。多年老石猴，那裏懷嗔怒。你問那相識，他知西去路。』

行者聞言，冷笑道：『我們去，不必問他，問我便了。』三藏還不解其意。那禪師化作金光，徑上烏巢而去。長老往上拜謝。行者心中大怒，舉鐵棒望上亂搗，祇見蓮花生萬朵，祥霧護千層。行者縱有攪海翻江力，莫想挽着烏巢一縷藤。三藏見了，扯住行者道：『悟空，這樣一個菩薩，你搗他窩巢怎的？』行者道：『他罵了我兄弟

兩個一場去了。』三藏道：『他講的西天路徑，何嘗罵你？』行者道：『你那裏曉得？他說「野猪挑擔子」，是罵的八戒；「多年老石猴」是罵的老孫。你怎麼解得此意？』八戒道：『師兄息怒。這禪師也曉得過去未來之事，但看他「水怪前頭遇」這句話，不知驗否。饒他去罷。』行者見蓮花祥霧，近那巢邊。只得請師父上馬，下山往西而去。那一去：

管教清福人間少，致使灾魔山裏多。

畢竟不知前程端的如何，且聽下回分解。

總批：

遊戲之中，暗傳密諦。學者着意《心經》，方不枉讀《西遊》一記，孤負了作者婆心。不然寶山空手，亦付之無可奈何而已。〇凡讀書，俱要如此。豈特《西遊》一記已也。

那老兒擺手搖頭道：「去不得。西天難取經。要取經，往東天去罷。」三藏口中不語，意下沉吟：「菩薩指道西去，怎麽此老説往東行？東邊那得有經？」……腼腆難言，半晌不答。

却説行者素性兇頑，忍不住，上前高叫道：「那老兒，你這們大年紀，全不曉事。我出家人遠來借宿，就把這厭鈍的話虎唬我。十分你家窄狹，没處睡時，我們在樹底下，好道也坐一夜，不打攪你。」那老者扯住三藏道：「師父，你倒不言語，你那個徒弟，那般拐子臉，别頦腮，雷公嘴，紅眼睛的一個癆病魔鬼，怎麽反衝撞我這年老之人！」行者笑道：「你這個老兒，忒也没眼色！似那俊刮些兒的，叫做中看不中吃。想我老孫雖小，頗結實，皮裹一團筋哩。」那老者道：「你想必有些手段。」行者道：「不敢誇言，也將就看得過。」老者道：「你家居何處？因甚事削髮爲僧？」行者道：「老孫祖貫東勝神洲海東傲來國花果山水簾洞居住。自小兒學做妖怪，稱名悟空。憑本事，挣了一個齊天大聖。衹因不受天禄，大反天宫，惹了一場灾愆。如今脱難消灾，轉拜沙門，前求正果，保我這唐朝駕下的師父，上西天拜佛走遭，怕甚麽山高路險，水闊波狂！我老孫也捉得怪，降得魔。伏虎擒龍，踢天弄井，都曉得些兒。倘若府上有甚麽丢磚打瓦，鍋叫門開，老孫便能安鎮。」

那老兒聽得這篇言語，哈哈笑道：「原來是個撞頭化緣的熟嘴兒和尚。」行者道：「你兒子便是熟嘴！我這些時，衹因跟我師父走路辛苦，還懶説話哩。」那老兒道：「若是你不辛苦，不懶説話，好道活活的聒殺我！你既有這樣手段，西方也還去得，去得。你一行幾衆？請至茅舍裏安宿。」三藏道：「多蒙老施主不叱之恩。我一行三衆。」老者道：「那一衆在那裏？」行者指着道：「這老兒眼花，那緑蔭下站的不是？」老兒果然眼花，忽抬頭細看，一見八戒這般嘴臉，就唬得一步一跌，往屋裏亂跑，衹叫：「關門！關門！妖怪來了！」行者趕上扯住道：「老兒莫怕，他

第二十回 黃風嶺唐僧有難 半山中八戒爭先

偈曰：

法本從心生，還是從心滅。生滅盡由誰，請君自辨別。既然皆己心，何用別人說？衹須下苦功，扭出鐵中血。絨繩着鼻穿，挽定虛空結。拴在無爲樹，不使他顛劣。莫認賊爲子，心法都忘絕。休教他瞞我，一拳先打徹。現心亦無心，現法法也輟。人牛不見時，碧天光皎潔。秋月一般圓，彼此難分別。

這一篇偈子，乃是玄奘法師悟徹了《多心經》，打開了門户。那長老常念常存，一點靈光自透。

且說他三衆，在路餐風宿水，帶月披星，早又至夏景炎天。但見那：

花盡蝶無情叙，樹高蟬有聲喧。野蠶成繭火榴妍，沼内新荷出現。

那日正行時，忽然天晚，又見山路旁邊，有一村舍。三藏道：「悟空，你看那『日落西山藏火鏡，月昇東海現冰輪』。幸而道旁有一人家，我們且借宿一宵，明日再走。」八戒道：「說得是，我老猪也有些餓了，且到人家化些齋吃，有力氣，好挑行李。」行者道：「這個戀家鬼！你離了家幾日，就生報怨！」八戒道：「哥啊，似不得你這喝風呵烟的人。我從跟了師父這幾日，長忍半肚飢，你可曉得？」三藏聞之道：「悟能，你若是在家心重呵，不是個出家的了，你還回去罷。」那呆子慌得跪下道：「師父，你莫聽師兄之言。他有些贓埋人。我不曾報怨甚的，他就說我報怨。我是個直腸的痴漢，我說道肚内飢了，好尋個人家化齋，他就駡我是戀家鬼。師父啊，我受了菩薩的戒行，又承師父憐憫，情願要伏侍師父往西天去，誓無退悔。這叫做『恨苦修行』，怎的說不是出家的話！」三藏道：「既是如此，你且起來。」那呆子縱身跳起，口裏絮絮叨叨的，挑着擔子，只得死心塌地，跟着前來。

早到了路旁人家門首。三藏下馬，行者接了韁繩，八戒歇了行李，都佇立緑蔭之下。三藏拄着九環錫杖，按按藤纏篾織斗篷，先奔門前，衹見一老者，斜倚竹床之上，口裏嚶嚶的念佛。三藏不敢高言，慢慢的叫一聲「施主，問訊了。」那老者一骨魯跳將起來，忙斂衣襟，出門還禮道：「長老，失迎。你自那方來的？到我寒門何故？」三藏道：「貧僧是東土大唐和尚，奉聖旨，上雷音寺拜佛求經。適至寶方天晚，意投檀府告借一宵，萬祈方便方便。」

不是妖怪，是我師弟。』老者戰兢兢的道：『好！好！好！一個醜似一個的和尚！』八戒上前道：『老官兒，你若以相貌取人，乾净差了。我們醜自醜，却都有用。』那老者正在門前與三個和尚相講，祇見那莊南邊有兩個少年人，帶着一個老媽媽，三四個小男女，斂衣赤脚，插秧而回。他看見一匹白馬，一擔行李，都在他家門首喧嘩，不知是甚來歷，都一擁上前問道：『做甚麼的？』八戒調過頭來，把耳朵擺了幾擺，長嘴伸了一伸，嚇得那些人東倒西歪，亂蹌亂跌。慌得那三藏滿口招呼道：『莫怕，莫怕！我們不是歹人，我們是取經的和尚。』那老兒才出了門，攙着媽媽道：『婆婆起來，少要驚恐。這師父，是唐朝來的，只是他徒弟臉嘴醜些，却也山惡人善。帶男女們家去。』那媽媽才扯着老兒，二少年領着兒女進去。

三藏却坐在他們樓裏竹床之上，埋怨道：『徒弟呀，你兩個相貌既醜，言語又粗，把這一家兒嚇得七損八傷，都替我身造罪哩！』八戒道：『不瞞師父說，老猪自從跟了你，這些時俊了許多哩。若像往常在高老莊走時，把嘴朝前一掬，把耳兩頭一擺，常嚇殺二三十人哩。』行者笑道：『呆子不要亂說，把那醜也收拾起些。』三藏道：『你看悟空說的話。相貌是生成的，你教他怎麼收拾？』行者道：『把那個耙子嘴，揣在懷裏，莫拿出來；把那蒲扇耳，貼在後面，不要搖動，這就是收拾了。』那八戒真個把嘴揣了，把耳貼了，拱着頭，立于左右。行者將行李拿入門裏，將白馬拴在樁上。

祇見那老兒才引個少年，拿一個板盤兒，托三杯清茶來獻。茶罷，又吩咐辦齋。那少年又拿一張有窟窿無漆水的舊桌，端兩條破頭折脚的凳子，放在天井中，請三衆涼處坐下。三藏方問道：『老施主，高姓？』老者道：『在下姓王。』『有幾位令嗣？』道：『有兩個小兒，三個小孫。』三藏道：『恭喜，恭喜。』又問：『年壽幾何？』道：『痴長六十一歲。』行者道：『好！好！好！花甲重逢矣。』三藏復問道：『老施主，始初說西天經難取者，何也？』老者道：『經非難取，只是道中艱澀難行。我們這向西去，祇有三十里遠近，有一座山，叫做八百里黄風嶺。那山中多有妖怪。故言難取者，此也。若論此位小長老，說有許多手段，却也去得。』行者道：『不妨！不妨！有了老孫與我這師弟，任他是甚麼妖怪，不敢惹我。』

正說處，又見兒子拿將飯來，擺在桌上，道聲『請齋。』三藏就合掌諷起齋經。八戒早已吞了一碗。長老的幾句經還未了，那呆子又吃够三碗。行者道：『這個饢糠的！好道撞着餓鬼了！』那老王倒也知趣，見他吃得快，道：『這個長老，想着實餓了，快添飯來。』那呆子真個食腸大：看他不抬頭，一連就吃有十數碗。三藏、行者俱各吃不上兩碗。呆子不住，便還吃哩。老王道：『倉卒無肴，不敢苦勸，請再進一箸。』三藏、行者俱道：『够了。』八戒道：『老兒滴答甚麼，誰和你發課，說甚麼五爻六爻；有飯祇管添將來就是。』呆子一頓，把他一家子飯都吃得罄盡，還祇說才得半飽。却纔收了傢火，在那門樓下，安排了竹床板鋪睡下。

次日天曉，行者去背馬，八戒去整擔，老王又教媽媽整治些點心湯水管待，三衆方致謝告行。老者道：『此去倘路間有甚不虞，是必還來茅舍。』行者道：『老兒，莫說哈話。我們出家人，不走回頭路。』遂此策馬挑擔西行。

噫！這一去，果無好路朝西域，定有邪魔降大災。三衆前來，不上半日，果逢一座高山。說起來，十分險峻。三藏馬到臨崖，斜挑寶鐙觀看，果然那：

高的是山，峻的是嶺；陡的是崖，深的是壑；響的是泉，鮮的是花。那山高不高，頂上接青霄；這澗深不深，底中見地府。山前面，有骨都都白雲，屹嶝嶝怪石。說不盡千丈萬丈挾魂崖。崖後有彎彎曲曲藏龍洞，洞中有叮叮噹噹滴水岩。又見些丫丫叉叉帶角鹿，泥泥痴痴看人獐；盤盤曲曲紅鱗蟒，耍耍頑頑白面猿。至晚巴山尋穴虎，帶曉翻波出水龍，登的洞門唿喇喇響。草裏飛禽，撲轤轤起；林中走獸，掬嵂嵂行。猛然一陣狼蟲過，嚇得人心趷蹬蹬驚。正是那當倒洞當當倒洞，洞當當倒洞當山；青岱染成千丈玉，碧紗籠罩萬堆煙。

那師父緩促銀驄，孫大聖停雲慢步，猪悟能磨擔徐行。正看那山，忽聞得一陣旋風大作。三藏在馬上心驚，道：

『悟空，風起了！』行者道：『風却怕他怎的！此乃天家四時之氣，有何懼哉！』三藏道：『此風甚惡，比那天風不同。』行者道：『怎見得不比天風？』三藏道：『你看這風：

巍巍蕩蕩颯飄飄，渺渺茫茫出碧霄。過嶺祇聞千樹吼，入林但見萬竿搖。岸邊擺柳連根動，園内吹花帶葉飄。收網漁舟皆緊纜，落篷客艇盡拋錨。途半徵夫迷失路，山中樵子擔難挑。仙果林間猴子散，奇花叢内鹿兒逃。崖前檜柏顆顆倒，澗下松篁葉葉凋。播土揚塵沙迸迸，翻江攪海浪濤濤。』

八戒上前，一把扯住行者道：『師兄，十分風大！我們且躲一躲兒乾净。』行者笑道：『兄弟不濟！風大時就躲，倘或親面撞見妖精，怎的是好？』八戒道：『哥啊，你不曾聞得「避色如避仇，避風如避箭」哩！我們躲一躲，也不虧人。』行者道：『且莫言語，等我把這風抓一把來聞一聞看。』八戒笑道：『師兄又扯空頭謊了，風又好抓得過來聞！就是抓得來，便也鑽了去了。』行者道：『兄弟，你不知道老孫有個「抓風」之法。』

好大聖，讓過風頭，把那風尾抓過來聞了一聞，有些腥氣，道：『果然不是好風！這風的味道不是虎風，定是怪風。斷乎有些蹊蹺。』說不了，祇見那山坡下，剪尾跑蹄，跳出一隻斑斕猛虎，慌得那三藏坐不穩雕鞍，翻跟頭跌下白馬，斜倚在路旁，真個是魂飛魄散。八戒丢了行李，掣釘鈀，不讓行者走上前，大喝一聲道：『孽畜！那裏走！』趕將去，劈頭就築。那衹虎直挺挺站將起來，把那前左爪輪起，摳住自家的胸膛，往下一抓，滑剌的一聲，把個皮剥將下來，站立道旁。你看他怎生惡相！咦，那模樣：

血津津的赤剥身軀，紅媸媸的彎環腿足。火焰焰的兩鬢蓬松，硬搠搠的雙眉的竪。白森森的四個鋼牙，光耀耀的一雙金眼。氣昂昂的努力大哮，雄糾糾的厲聲高喊。

喊道：『慢來！慢來！吾黨不是别人，乃是黄風大王部下的前路先鋒。今奉大王嚴命，在山巡邏，要拿幾個凡夫去做案酒。你是那裏來的和尚，敢擅動兵器傷我？』八戒罵道：『我把你這個孽畜！你是認不得我！我等不

是那過路的凡夫，乃東土大唐御弟三藏之弟子，奉旨上西方拜佛求經者。你早早的遠避他方，讓開大路，休驚了我師父，饒你性命；若似前猖獗，鈀舉處，却不容情！』那妖精那容分說，急近步，丢一個架子，望八戒劈臉來抓。這八戒忙閃過，輪鈀就築。那怪手無兵器，下頭就走，八戒隨後趕來。那怪到了山坡下，亂石叢中，取出兩口赤銅刀，急輪起，轉身來迎。兩個在這坡前，一往一來，一衝一撞的賭鬥。那裏孫行者攙起唐僧道：『師父，你莫害怕。且坐住，等老孫去助助八戒，打倒那怪好走。』三藏才坐將起來，戰兢兢的，口裏念着《多心經》不題。

那行者掣了鐵棒，喝聲叫『拿了！』此時八戒抖擻精神，那怪敗下陣去。行者道：『莫饒他！務要趕上！』他兩個輪釘鈀，舉鐵棒，趕下山來。那怪慌了手脚，使個『金蟬脱殼計』，打個滚，現了原身，依然是一隻猛虎。行者與八戒那裏肯捨，趕着那虎，定要除根。那怪見他趕得至近，却又摳着胸膛，剥下皮來，苫蓋在那卧虎石上，脱真身，化一陣狂風，徑回路口。路口上那師父正念《多心經》，被他一把拿住，駕長風攝將去了。可憐那三藏啊！

江流注定多磨折，寂滅門中功行難。

那怪把唐僧擒來洞口，按住狂風，對把門的道：『你去報大王説，前路虎先鋒拿了一個和尚，在門外聽令。』

那洞主傳令，教他進來。那虎先鋒，腰撇着兩口赤銅刀，雙手捧着唐僧，上前跪下道：『大王，小將不才，蒙鈞令差往山上巡邏，忽遇一個和尚，他是東土大唐駕下御弟三藏法師，上西方拜佛求經，被我擒來奉上，聊具一饌。』

那洞主聞得此言，吃了一驚道：『我聞得前者有人傳説：三藏法師乃大唐奉旨意取經的神僧；他手下有一個徒弟，名唤孫行者，神通廣大，智力高强。你怎麽能够捉得他來？』先鋒道：『他有兩個徒弟：先來的，使一柄九齒釘鈀，他生得嘴長耳大；又一個，使一根金箍鐵棒，他生得火眼金睛。正趕着小將争持，被小將使一個「金蟬脱殼」之計，撤身得空，把這和尚拿來，奉獻大王，聊表一餐之敬。』

洞主道：『且莫吃他着。』先鋒道：『大王，見食不食，呼爲劣蹶。』洞主道：『你不曉得。吃了他不打緊，祇恐怕他那兩個徒弟上門吵鬧，未爲穩便。且把他綁在後園定風樁上，待三五日，他兩個不來攪擾，那時節，一則圖他身子乾净，二來不動口舌，却不任我們心意？或煮或蒸，或煎或炒，慢慢的自在受用不遲。』先鋒大喜道：『大王深謀遠慮，説得有理。』教：『小的們，拿了去。』

旁邊擁上七八個綁縛手，將唐僧拿去，好便似鷹拿燕雀，索綁繩纏。這的是苦命江流思行者，遇難神僧想悟能。道聲：『徒弟啊！不知你在那山擒怪，何處降妖，我却被魔頭拿來，遭此毒害，幾時再得相見！好苦啊！你們若早些兒來，還救得我命；若十分遲了，斷然不能保矣！』一邊嗟嘆，一邊泪落如雨。

却説那行者、八戒，趕那虎下山坡，祇見那虎跑倒了，塌伏在崖前。行者舉棒，盡力一打，轉震得自己手疼。八戒復築了一鈀，亦將鈀齒迸起。原來是一張虎皮，蓋着一塊卧虎石。行者大驚道：『不好了！不好了！中了他計也！』八戒道：『中他甚計？』行者道：『這個叫做「金蟬脱殼計」，他將虎皮苫在此，他却走了。我們且回去看看師父，莫遭毒手。』兩個急急轉來，早已不見了三藏。行者大叫如雷道：『怎的好！師父已被他擒去了！』八戒即便牽着馬，眼中滴泪道：『天哪！天哪！却往那裏找尋！』行者抬着頭跳道：『莫哭！莫哭！一哭就挫了鋭氣。横竪想祇在此山，我們尋尋去來。』

他兩個果奔入山中，穿崗越嶺，行够多時，祇見那石崖之下，聳出一座洞府。兩人定步觀瞻，果然兇險。但見那：

迭障尖峰，回巒古道。青松翠竹依依，緑柳碧梧冉冉。崖前有怪石雙雙，林内有幽禽對對。澗水遠流沖石壁，山泉細滴漫沙堤。野雲片片，瑶草芊芊。妖狐狡兔亂攛梭，角鹿香獐齊鬥勇。劈崖斜挂萬年藤，深壑半懸千歲柏。奕奕巍巍欺華嶽，落花啼鳥賽天臺。

行者道：『賢弟，你可將行李歇在藏風山凹之間，撒放馬匹，不要出頭。等老孫去他門首，與他賭鬥。必須拿住妖精，方纔救得師父。』八戒道：『不消吩咐，請快去。』

行者整一整直裰，束一束虎裙，掣了棒，撞至那門前，衹見那門上有六個大字，乃『黄風嶺黄風洞』，却便丁字脚站定，執着棒，高叫道：『妖怪！趁早兒送我師父出來，省得掀翻了你窩巢，躧平了你住處！』

那小怪聞言，一個個害怕，戰兢兢的，跑入裏面報道：『大王！禍事了！』那黄風怪正坐間，問：『有何事？』小妖道：『洞門外來了一個雷公嘴毛臉的和尚，手持着一根許大粗的鐵棒，要他師父哩！』那洞主驚張，即唤虎先鋒道：『我教你去巡山，衹該拿些山牛、野彘、肥鹿、胡羊，怎麽拿那唐僧來！却惹他那徒弟來此閙吵，怎生區處？』先鋒道：『大王放心穩便，高枕勿憂，小將不才，願帶領五十個小妖校出去，把那甚麽孫行者拿來凑吃。』洞主道：『我這裏除了大小頭目，還有五七百名小校，憑你選擇，領多少去。衹要拿住那行者，我們才自自在在吃那和尚一塊肉，情願與你拜爲兄弟；但恐拿他不得，反傷了你，那時休得埋怨我也。』

虎怪道：『放心！放心！等我去來。』果然點起五十名精壯小妖，擂鼓摇旗，纏兩口赤銅刀，騰出門來，厲聲高叫道：『你是那裏來的個猴和尚？敢在此間大呼小叫的做甚？』行者罵道：『你這個剥皮的畜生！你弄甚麽脱殻法兒，把我師父攝了，倒轉問我做甚！趁早好好送我師父出來，還饒你這個性命！』虎怪道：『你師父是我拿了，要與我大王做頓下飯。你識起倒，回去罷！不然，拿住你，一齊凑吃，却不是「買一個又饒一個」？』行者聞言，心中大怒。圪迸迸，鋼牙錯嚙；滴流流，火眼睁圓；掣鐵棒喝道：『你多大手段，敢説這等大話！休走！看棍！』那先鋒急持刀按住。這一場果然不善，他兩個各顯威能。好殺：

那怪是個真鵝卵，悟空是個鵝卵石。赤銅刀架美猴王，渾如壘卵來擊石。鳥鵲怎與鳳凰爭？鵓鴿敢和鷹鷂敵？那怪噴風灰滿山，悟空吐霧雲迷日。來往不禁三五回，先鋒腰軟全無力。轉身敗了要逃生，却被悟空抵死逼。

那虎怪撑持不住，回頭就走。他原來在那洞主面前説了嘴，不敢回洞，徑往山坡上逃生。行者那裏肯放，執着棒，衹情趕來，呼呼吼吼，喊聲不絶，却趕到那藏風山凹之間。正抬頭，見八戒在那裏放馬。八戒忽聽見呼呼聲喊，回頭觀看，乃是行者趕敗的虎怪，就丢了馬，舉起鈀，刺斜着頭一築。可憐那先鋒，脱身要跳黄絲網，豈知又遇罩魚人。却被八戒一鈀，築得九個窟窿鮮血冒，一頭腦髓盡流幹。有詩爲證。詩曰：

三五年前歸正宗，持齋把素悟真空。誠心要保唐三藏，初秉沙門立此功。

那呆子一脚躧住他的脊背，兩手輪鈀又築。行者見了，大喜道：『兄弟，正是這等！他領了幾十個小妖，敢與老孫賭鬥，被我打敗了，他轉不往洞跑，却跑來這裏尋死。虧你接着；不然，又走了。』八戒道：『弄風攝師父去的可是他？』行者道：『正是，正是。』八戒道：『你可曾問他師父的下落麽？』行者道：『這怪把師父拿在洞裏，要與他甚麽鳥大王做下飯。是老孫惱了，就與他鬥將這裏來，却着你送了性命。兄弟啊，這個功勞算你的。你可還守着馬與行李，等我把這死怪拖了去，再到那洞口索戰。須是拿得那老妖，方纔救得師父。』八戒道：『哥哥説得有理。你去，你去。若是打敗了這老妖，還趕將這裏來，等老猪截住殺他。』好行者，一隻手提着鐵棒，一隻手拖着死虎，徑至他洞口。正是：

法師有難逢妖怪，情性相和伏亂魔。

畢竟不知此去可降得妖怪，救得唐僧，且聽下回分解。

第二十一回　護法設莊留大聖　須彌靈吉定風魔

却說那五十個敗殘的小妖，拿着些破旗、破鼓，撞入洞裏，報道：『大王，虎先鋒戰不過那毛臉和尚，被他趕下東山坡去了。』老妖聞說，十分煩惱。正低頭不語，默思計策，又有把前門的小妖道：『大王，虎先鋒被那毛臉和尚打殺了，拖在門口罵戰哩。』那老妖聞言，愈加煩惱道：『這廝却也無知！我倒不曾吃他師父，他轉打殺我家先鋒，可恨！可恨！』叫：『取披挂來。我也祇聞得講甚麽孫行者，等我出去，看是個甚麽九頭八尾的和尚，拿他進來，與我虎先鋒對命。』衆小妖急急抬出披挂。老妖結束齊整，綽一桿三股鋼叉，帥群妖跳出本洞。那大聖停立門外，見那妖走將出來，着實驍勇。看他怎生打扮，但見：

金盔晃日，金甲凝光。盔上纓飄山雉尾，羅袍罩甲淡鵝黃。勒甲絛盤龍耀彩，護心鏡繞眼輝煌。鹿皮靴，槐花染色；錦圍裙，柳葉絨妝。手持三股鋼叉利，不亞當年顯聖郎。

那老妖出得門來，厲聲高叫道：『那個是孫行者？』這行者脚躧着虎怪的皮囊，手執着如意的鐵棒，答道：『你孫外公在此，送出我師父來。』那怪仔細觀看，見行者身軀鄙猥，面容羸瘦，不滿四尺。笑道：『可憐！可憐！我祇道是怎麽樣扳翻不倒的好漢，原來是這般一個骷髏的病鬼！』行者笑道：『你這個兒子，忒没眼色！你外公雖是小小的，你若肯照頭打一叉柄，就長三尺。』那怪道：『你硬着頭，吃吾一柄。』大聖公然不懼。那怪果打一下來，他把腰躬一躬，足長了六尺，有一丈長短，慌得那妖把鋼叉按住，喝道：『孫行者，你怎麽把這護身的變化法兒，拿來我門前使唤！莫弄虚頭！走上來，我與你見見手段！』行者笑道：『兒子啊！常言道：「留情不舉手，舉手不留情。」你外公手兒重重的，只怕你挨不起這一棒！』那怪那容分說，拈轉鋼叉，望行者當胸就刺。這大聖正是會家不忙，忙家不會，理開鐵棒，使一個『烏龍掠地勢』，撥開鋼叉，又照頭便打。他二人在那黃風洞口，這一場好殺：

妖王發怒，大聖施威。妖王發怒，要拿行者抵先鋒；大聖施威，欲捉精靈救長老。叉來棒架，棒去叉迎。一個是鎮山都總帥，一個是護法美猴王。初時還在塵埃戰，後來各起在中央。點鋼叉，尖明鋒利；如意棒，身黑箍黃。戳着的魂歸冥府，打着的定見閻王。全憑着手疾眼快，必須要力壯身强。兩家捨死忘生戰，不知那個平安那個傷。

那老妖與大聖鬥經三十回合，不分勝敗。這行者要見功績，使一個『身外身』的手段：把毫毛揪下一把，用口嚼得粉碎，望上一噴，叫聲『變！』變有百十個行者，都是一樣打扮，各執一根鐵棒，把那怪圍在空中。那怪害怕，也使一般本事：急回頭，望着巽地上，把口張了三張，呼的一口氣，吹將出去，忽然間，一陣黃風，從空颳起。好風！真個利害。

冷冷颼颼天地變，無影無形黄沙旋。穿林折嶺倒松梅，播土揚塵崩嶺坫。黄河浪潑徹底渾，湘江水涌翻波轉。碧天振動斗牛宫，争些刮倒森羅殿。五百羅漢鬧喧天，八大金剛齊嚷亂。文殊走了青毛獅，普賢白象難尋見。真武龜蛇失了群，梓橦騾子飄其韂。行商喊叫告蒼天，梢公拜許諸般願。煙波性命浪中流，名利殘生隨水辦。仙山洞府黑攸攸，海島蓬萊昏暗暗。老君難顧煉丹爐，壽星收了龍鬚扇。王母正去赴蟠桃，一風吹斷裙腰釧。二郎迷失灌州城，哪吒難取匣中劍。天王不見手心塔，魯班吊了金頭鑽。雷音寶闕倒三層，趙州石橋崩兩斷。一輪紅日蕩無光，滿天星斗皆昏亂。南山鳥往北山飛，東湖水向西湖漫。雌雄拆對不相呼，子母分離難叫唤。龍王遍海找夜叉，雷公到處尋閃電。十代閻王覓判官，地府牛頭追馬面。這風吹到普陀山，卷起觀音經一卷。白蓮花卸海邊飛，吹倒菩薩十二院。盤古至今曾見風，不似這風來不善。唿喇喇，乾坤險不炸崩開，萬里江山都是顫！

那妖怪使出這陣狂風，就把孫大聖毫毛變的小行者刮得在那半空中，却似紡車兒一般亂轉，莫想輪得棒，如何攏得身？慌得行者將毫毛一抖，收上身來，獨自個舉着鐵棒，上前來打，又被那怪劈臉噴了一口黄風，把兩隻火眼金睛，颳得緊緊閉合，莫能睜開，因此難使鐵棒，遂敗下陣來。那妖收風回洞不題。

第二十一回　護法設莊留大聖　須彌靈吉定風魔

卻說那五十個敗殘的小妖，拿着些破旗破鼓，撞入洞裏，報道：「大王，虎先鋒戰不過那毛臉和尚，被他趕下東山坡去了。」老妖聞說，十分煩惱，正低頭不語，默思計策，又有把前門的小妖道：「大王，虎先鋒被那毛臉和尚打殺了，拖在門口罵戰哩。」那老妖聞言，愈加煩惱道：「這廝卻也無知！我倒不曾吃他師父，他轉打殺我家先鋒，可恨！可恨！」叫：「取披掛來。我也只聞得講甚麼孫行者，等我出去，看是個甚麼九頭八尾的和尚，拿他進來，與我虎先鋒對命。」眾小妖急急抬出披掛。老妖結束齊整，綽一桿三股鋼叉，帥群妖跳出本洞。那大聖停立門外，見那怪走將出來，着實驍勇。看他怎生打扮，但見：

金盔晃日，金甲凝光。盔上纓飄山雉尾，羅袍罩甲淡鵝黃。勒甲絛盤龍耀彩，護心鏡繞眼輝煌。鹿皮靴，槐花染色；錦圍裙，柳葉絨妝。手持三股鋼叉利，不亞當年顯聖郎。

那老妖出得門來，厲聲高叫道：「那個是孫行者？」這行者腳踏着虎怪的皮囊，手執着如意的金箍棒，答道：「你孫外公在此，送出我師父來！」那怪仔細觀看，見行者身軀鄙猥，面容羸瘦，不滿四尺，笑道：「可憐！可憐！我只道是怎麼樣扳翻不倒的好漢，原來是這般一個骷髏的病鬼！」行者笑道：「你這個兒子，忒沒眼色！你外公雖是小小的，你若肯照頭打一叉柄，就長三尺。」那怪道：「你硬着頭，喫吾一柄！」大聖公然不懼。那怪果打一下來，他把腰一躬，足長了六尺，有一丈長短。慌得那妖把鋼叉按住，喝道：「孫行者，你怎麼把這護身的變化法兒，拿來我門前使喚！莫弄虛頭！走上來，我與你見見手段！」行者笑道：「兒子呵，常言道：『留情不舉手，舉手不留情。』你外公手兒重重的，只怕你捱不起這一棒！」那怪那容分說，撚轉鋼叉，望行者當胸就刺。這大聖正是會家不忙，忙家不會，理開鐵棒，使一個『烏龍掠地勢』，撥開鋼叉，又照頭便打。他二人在那黃風洞口，這一場好殺：

妖王發怒，大聖施威。妖王發怒，要拿行者抵先鋒；大聖施威，欲捉精靈救長老。叉來棒架，棒去叉迎。一個是鎮山都總帥，一個是護法美猴王。初時還在塵埃戰，後來各起在中央。點鋼叉，尖明銳利；如意棒，身黑箍黃。戳着的魂歸冥府，打着的定見閻王。全憑着手疾眼快，必須要力壯身強。兩家捨死忘生戰，不知那個平安那個傷！

那老妖與大聖鬥經三十回合，不分勝敗。這行者要見功績，使一個『身外身』的手段：把毫毛揪下一把，用口嚼得粉碎，望上一噴，叫聲『變！』變有百十個行者，都是一樣打扮，各執一根鐵棒，把那怪圍在空中。那怪害怕，也使一般本事：急回頭，望着巽地上，把口張了三張，嘑的一口氣，吹將出去，忽然間，一陣黃風，從空刮起。好風！真個利害：

冷冷颼颼天地變，無影無形黃沙旋。穿林折嶺倒松梅，播土揚塵崩嶺坫。黃河浪潑徹底渾，湘江水湧翻波轉。碧天振動斗牛宮，爭些刮倒森羅殿。五百羅漢鬧喧天，八大金剛齊嚷亂。文殊走了青毛獅，普賢白象難尋見。真武龜蛇失了群，梓潼騾子飄其韂。行商喊叫告蒼天，梢公拜許諸般願。煙波性命浪中流，名利殘生隨水辦。仙山洞府黑攸攸，海島蓬萊昏暗暗。老君難顧煉丹爐，壽星收了龍須扇。王母正去赴蟠桃，一風吹斷裙腰釧。二郎迷失灌州城，哪吒難取匣中劍。天王不見手心塔，魯班吊了金頭鑽。雷音寶闕倒三層，趙州石橋崩兩斷。一輪紅日蕩無光，滿天星斗皆昏亂。南山鳥往北山飛，東湖水向西湖漫。雌雄拆對不相呼，子母分離難叫喚。龍王遍海找夜叉，雷公到處尋閃電。十代閻王覓判官，地府牛頭追馬面。這風吹倒普陀山，捲起觀音經一卷。白蓮花卸海邊飛，吹倒菩薩十二院。盤古至今曾見風，不似這風來不善。嗗喇喇乾坤險不炸崩開，萬里江山都是顫！

那怪弄出這陣風，把孫大聖那些毫毛變的小行者，刮在那半空中，卻似紡車兒一般亂轉，莫想輪得棒，如何攏得身？慌得行者將毫毛一抖，收上身來，獨自個舉着鐵棒，上前來打，又被那怪劈臉噴了一口黃風，把兩隻火眼金睛，刮得緊緊閉合，莫能睜開，因此難使鐵棒，遂敗下陣來。那妖收風回洞不題。

却說猪八戒見那黄風大作，天地無光，牽着馬，守着擔，伏在山凹之間，也不敢睁眼，不敢抬頭，口裏不住的念佛許願；又不知行者勝負何如，師父死活何如。正在那疑思之時，却早風定天晴。忽抬頭往那洞門前看處，却也不見兵戈，不聞鑼鼓。呆子又不敢上他門，又没人看守馬匹、行李，果是進退兩難，愴惶不已。憂慮間，祇聽得孫大聖從西邊吆喝而來，他才欠身迎着道：「哥哥，好大風啊！你從那裏走來？」行者擺手道：「利害！利害！我老孫自爲人，不曾見這大風。那老妖使一柄三股鋼叉，來與老孫交戰；戰到有三十餘合，是老孫使一個身外身的本事，把他圍打，他甚着急，故弄出這陣風來，果是兇惡，颳得我站立不住，收了本事，冒風而逃。——哏，好風！哏，好風！老孫也會呼風，也會唤雨，不曾似這個妖精的風惡！」八戒道：「師兄，那妖精的武藝如何？」行者道：「也看得過。叉法兒倒也齊整。與老孫也戰個手平。却只是風惡了，難得贏他。」八戒道：「似這般怎生救得師父？」行者道：「救師父且等再處，不知這裏可有眼科先生，且教他把我眼醫治醫治。」八戒道：「你眼怎的來？」行者道：「我被那怪一口風噴將來，吹得我眼珠酸痛，這會子冷泪常流。」八戒道：「哥啊，這半山中，天色又晚，且莫說要甚麽眼科，連宿處也没有了！」行者道：「要宿處不難。我料着那妖精還不敢傷我師父，我們且找上大路，尋個人家住下，過此一宵，明日天光，再來降妖罷。」八戒道：「正是，正是。」

他却牽了馬，挑了擔，出山凹，行上路口。此時漸漸黄昏，祇聽得那路南山坡下，有犬吠之聲。二人停身觀看，乃是一家莊院，影影的有燈火光明。他兩個也不管有路無路，漫草而行，直至那家門首。但見：

紫芝翳翳，白石蒼蒼。紫芝翳翳多青草，白石蒼蒼半緑苔。數點小螢光灼灼，一林野樹密排排。香蘭馥鬱，嫩竹新栽。清泉流曲澗，古柏倚深崖。地僻更無遊客到，門前惟有野花開。

他兩個不敢擅入，只得叫一聲「開門，開門！」那裏有一老者，帶幾個年幼的農夫，叉鈀掃帚齊來，問道：「甚麽人？甚麽人？」行者躬身道：「我們是東土大唐聖僧的徒弟。因往西方拜佛求經，路過此山，被黄風大王拿

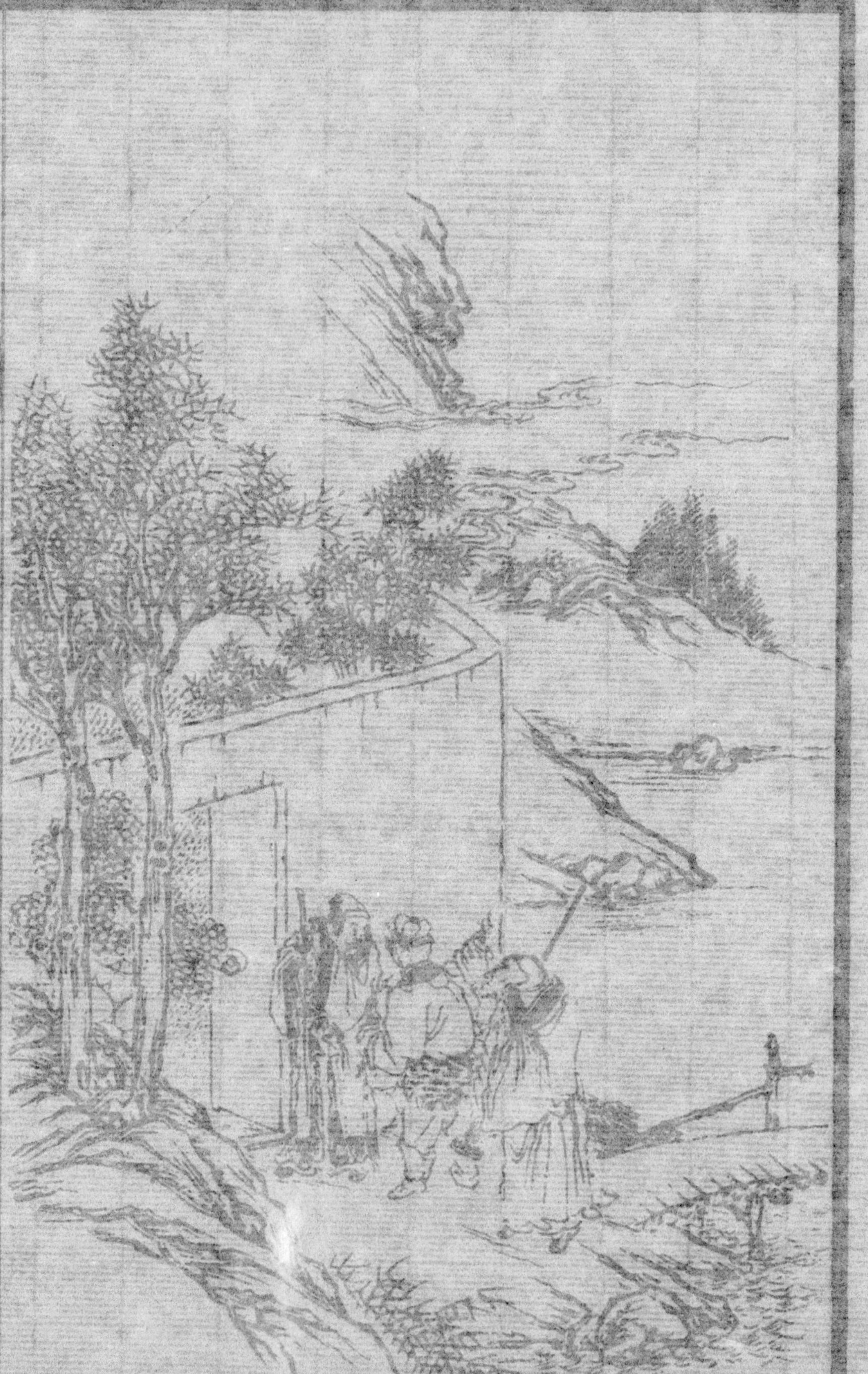

了我師父去了，我們還未曾救得。天色已晚，特來府上告借一宵，萬望方便方便。」那老者答禮道：「失迎，失迎。此間乃雲多人少之處，却纔聞得叫門，恐怕是妖狐、老虎，及山中强盜等類，故此小介愚頑，多有衝撞。不知是二位長老。請進，請進。」

他兄弟們牽馬挑擔而入，徑至裏邊，拴馬歇擔，與莊老拜見叙坐。又有蒼頭獻茶。茶罷，捧出幾碗胡麻飯。飯畢，命設鋪就寢。行者道：「不睡還可，敢問善人，貴地可有賣眼藥的？」老者道：「是那位長老害眼？」行者道：「不瞞你老人家說，我們出家人，自來無病，從不曉得害眼。」老人道：「既不害眼，如何討藥？」行者道：「我們今日在黄風洞口救我師父，不期被那怪將一口風噴來，吹得我眼珠酸痛，今有些眼泪汪汪，故此要尋眼藥。」那老者道：「善哉！善哉！你這個長老，小小的年紀，怎麽説謊？那黄風大聖，風最利害。他那風，比不得甚麽春秋風、松竹風、與那東西南北風。……」八戒道：「想必是夾腦風、羊耳風、大麻風、偏正頭風？」長者道：「不是，不是。他叫做『三昧神風』。」行者道：「怎見得？」老者道：「那風，能吹天地暗，善刮鬼神愁。裂石崩崖惡，吹人命即休。你們若遇着他那風吹了呵，還想得活哩！祇除是神仙，方可得無事。」行者道：「果然！果然！我們雖不是神仙，神仙還是我的晚輩，這條命急切難休，却只是吹得我眼珠酸痛！」那老者道：「既如此說，也是個有來頭的人。我這敝處，却無賣眼藥的。老漢也有些迎風冷泪，曾遇异人，傳了一方，名唤『三花九子膏』，能治一切風眼。」行者聞言，低頭唱喏道：「願求些兒，點試，點試。」

那老者應承，即走進去，取出一個瑪瑙石的小罐兒來，拔開塞口，用玉簪兒蘸出少許與行者點上，教他不得睁開，寧心睡覺，明早就好。點畢，收了石罐，徑領小介們退于裏面。八戒解包袱，展開鋪蓋，請行者安置。行者閉着眼亂摸。八戒笑道：「先生，你的明杖兒呢？」行者道：「你這個饢糠的呆子！你照顧我做瞎子哩！」那呆子啞啞的暗笑而睡。行者坐在鋪上，轉運神功，直到有三更後方纔睡下。

不覺又是五更將曉，行者抹抹臉，睁開眼道：「果然好藥！比常更有百分光明！」却轉頭後邊望望，呀！那裏得甚房舍窗門，但祇見些老槐高柳，兄弟們都睡在那緑莎茵上。那八戒醒來道：「哥哥，你嚷怎的？」行者道：「你睁開眼看看。」呆子忽抬頭，見沒了人家，慌得一轂轆爬將起來道：「我的馬哩？」行者道：「樹上拴的不是？」——「行李呢？」行者道：「你頭邊放的不是？」八戒道：「這家子憊懶也。他搬了，怎麽就不叫我們一聲？通得老猪知道，也好與你送些茶果。想是躲門户的，恐怕裏長曉得，却就連夜搬了。噫！我們也忒睡得死！怎麽他家拆房子，響也不聽見響響？」行者吸吸的笑道：「呆子，不要亂嚷。你看那樹上是個甚麽紙帖兒。」八戒走上前，用手揭了，原來上面四句頌子云：

「莊居非是俗人居，護法伽藍點化廬。妙藥與君醫眼痛，盡心降怪莫躊躇。」

行者道：「這伙强神，自换了龍馬，一向不曾點他，他倒又來弄虚頭！」八戒道：「哥哥莫扯架子。他怎麽伏你點札！」行者道：「兄弟，你還不知哩。這護教伽藍、六丁六甲、五方揭諦、四值功曹，奉菩薩的法旨，暗保我師父者。自那日報了名，祇爲這一向有了你，再不曾用他們，故不曾點札罷了。」八戒道：「哥哥，他既奉法旨暗保師父，所以不能現身明顯，故此點化仙莊。你莫怪他，昨日也虧他與你點眼，又虧他管了我們一頓齋飯，亦可謂盡心矣。你莫怪他，我們且去救師父來。」行者道：「兄弟説得是。此處到那黄風洞口不遠，你且莫動身，祇在林子裏看馬守擔，等老孫去洞裏打聽打聽，看師父下落如何，再與他争戰。」八戒道：「正是這等。討一個死活的實信。假若師父死了，各人好尋頭幹事；若是未死，我們好竭力盡心。」行者道：「莫亂談，我去也！」

他將身一縱，徑到他門首，門尚關着睡覺。行者不叫門，且不驚動妖怪，捻着訣，念個咒語，摇身一變，變做一個花脚蚊蟲，真個小巧！有詩爲證曰：

擾擾微形利喙，嚶嚶聲細如雷。蘭房紗帳善通隨，正愛炎天暖氣。祇怕熏煙撲扇，偏憐燈火光輝。輕輕小小忒鑽疾，

飛入妖精洞裏。

衹見那把門的小妖，正打鼾睡，行者往他臉上叮了一口，那小妖翻身醒了。道：『我爺啞！好大蚊子！一口就叮了一個大疙疸！』忽睜眼道：『天亮了。』又聽得支的一聲，二門開了。行者嚶嚶的飛將進去，衹見那老妖吩咐各門上謹慎，一壁廂收拾兵器：『只怕昨日那陣風不曾颳死孫行者，他今日必定還來。來時定教他一命休矣。』

行者聽說，又飛過那廳堂，徑來後面。但見一層門，關得甚緊，行者漫門縫兒鑽將進去，原來是個大空園子，那壁廂定風樁上繩纏索綁着唐僧哩。那師父紛紛淚落，心心衹念着悟空、悟能，不知都在何處。行者停翅，叮在他光頭上，叫聲『師父』。那長老認得他的聲音道：『悟空啊，想殺我也！你在那裏叫我哩？』行者道：『師父，我在你頭上哩。你莫要心焦，少得煩惱。我們務必拿住妖精，方纔救得你的性命。』唐僧道：『徒弟啊，幾時才拿得妖精麼？』行者道：『拿你的那虎怪，已被八戒打死了。只是老妖的風勢利害。料着衹在今日，管取拿他。你放心莫哭，我去啞。』

說聲去，嚶嚶的飛到前面。衹見那老妖坐在上面，正點札各路頭目，又見那洞前有一個小妖精，把個令字旗磨一磨，撞上廳來報道：『大王，小的巡山，才出門，見一個長嘴大耳朵的和尚坐在林裏，若不是我跑得快些，幾乎被他捉住。却不見昨日那個毛臉和尚。』老妖道：『孫行者不在，想必是風吹死也。再不便去那裏求救兵去了！』衆妖道：『大王，若果吹殺了他，是我們的造化，衹恐吹不死他，他去請些神兵來，却怎生是好？』老妖道：『怕他怎的，怕那甚麽神兵！若還定得我的風勢，衹除了靈吉菩薩來是，其餘何足懼也！』

行者在屋梁上，衹聽得他這一句言語，不勝歡喜，即抽身飛出，現本相來至林中，叫聲『兄弟！』八戒道：『哥，你往那裏去來？剛纔一個打令字旗的妖精，被我趕了去也。』行者笑道：『虧你！虧你！老孫變做蚊蟲兒，進他洞去探看師父，原來師父被他綁在定風樁上哭哩。是老孫吩咐，教他莫哭，又飛在屋梁上聽了一聽。衹見那拿令字旗的，喘噓噓的，走進去報道：只是被你趕他，却不見我。老妖亂猜亂說，說老孫是風吹殺了，又說是請神兵去了。他却自家供出一個人來，甚妙！甚妙！』八戒道：『他供的是誰？』行者道：『他說怕甚麽神兵，那個能定他的風勢，衹除是靈吉菩薩來是。——但不知靈吉住在何處？……』

正商議處，衹見大路旁走出一個老公公來。你看他怎生模樣：

身健不扶拐杖，冰髯雪鬢蓬蓬。金花耀眼意朦朧，瘦骨衰筋强硬。屈背低頭緩步，龐眉赤臉如童。看他容貌是人稱，却似壽星出洞。

八戒望見大喜道：『師兄，常言道：「要知山下路，須問去來人。」你上前問他一聲，何如？』真個大聖藏了鐵棒，放下衣襟，上前叫道：『老公公，問訊了。』那老者半答不答的，還了個禮道：『你是那裏和尚？這曠野處，有何事幹？』行者道：『我們是取經的聖僧。昨日在此失了師父，特來動問公公一聲：靈吉菩薩在那裏住？』老者道：『靈吉在直南上。到那裏，還有二千里路。有一山，名小須彌山。山中有個道場，乃是菩薩講經禪院。汝等是取他的經去了？』行者道：『不是取他的經，我有一事煩他，不知從那條路去。』老者用手向南指道：『這條羊腸路就是了。』哄得那孫大聖回頭看路，那公公化作清風，寂然不見。衹見路旁邊下一張簡帖，上有四句頌子云：

『上復齊天大聖聽：老人乃是李長庚。須彌山有飛龍杖，靈吉當年受佛兵。』

行者執了帖兒，轉身下路。八戒道：『哥啊，我們連日造化低了。這兩日白日裏見鬼！那個化風去的老兒是誰？』行者把帖兒遞與八戒。——念了一遍道：『李長庚是那個？』行者道：『是西方太白金星的名號。』八戒慌得望空下拜道：『恩人！恩人！老猪若不虧金星奏准玉帝時，性命也不知化作甚的了！』行者道：『兄弟，你却也知感恩。但莫要出頭，衹藏在這樹林深處，仔細看守行李、馬匹，等老孫尋須彌山，請菩薩去耶。』八戒道：『曉得！曉得！你衹管快快前去！老猪學得個烏龜法，得縮頭時且縮頭。』

孫大聖跳在空中，縱筋斗雲，徑往直南上去，果然速快。他點頭經過三千里，扭腰八百有餘程。須臾，見一座高山，半中間有祥雲出現，瑞靄紛紛，山凹裏果有一座禪院，衹聽得鐘磬悠揚，又見那香烟縹緲。

大聖直至門前，見一道人，項掛數珠，口中念佛。行者道：『道人作揖。』那道人躬身答禮道：『那裏來的老爺？』行者道：『這可是靈吉菩薩講經處麽？』道人道：『此間正是，有何話說？』行者道：『累煩你老人家與我傳答：我是東土大唐駕下御弟三藏法師的徒弟，齊天大聖孫悟空行者。今有一事，要見菩薩。』道人笑道：『老爺字多話多，我不能全記。』行者道：『你衹說是唐僧徒弟孫悟空來了。』道人依言，上講堂傳報。那菩薩即穿袈裟，添香迎接。

這大聖才舉步入門，往裏觀看，衹見那：

滿堂錦綉，一屋威嚴。衆門人齊誦《法華經》，老班首輕敲金鑄磬。佛前供養，盡是仙果仙花；案上安排，皆是素肴素品。輝煌寶燭，條條金焰射虹霓；馥鬱真香，道道玉煙飛彩霧。正是那講罷心閑方入定，白雲片片繞松梢。靜收慧劍魔頭絶，般若波羅善會高。

那菩薩整衣出迓，行者登堂，坐了客位。隨命看茶。行者道：『茶不勞賜，但我師父在黄風山有難，特請菩薩施大法力降怪救師。』菩薩道：『我受了如來法令，在此鎮押黄風怪。如來賜了我一顆「定風丹」，一柄「飛龍寶杖」。當時被我拿住，饒了他的性命，放他去隱性歸山，不許傷生造孽，不知他今日欲害令師。有違教令，我之罪也。』那菩薩欲留行者，治齋相叙，行者懇辭，隨取了飛龍杖，與大聖一齊駕雲。不多時，至黄風山上。菩薩道：『大聖，這妖怪有些怕我，我衹在雲端裏住定，你下去與他索戰，誘他出來，我好施法力。』

行者依言，按落雲頭，不容分説，掣鐵棒把他洞門打破。叫道：『妖怪！還我師父來也！』慌得那把門小妖，急忙傳報。那怪道：『這潑猴着實無禮！再不伏善，反打破我門！這一出去，使陣神風，定要吹死！』仍前披挂，手綽鋼叉，又走出門來；見了行者，更不打話，拈叉當胸就刺。大聖側身躲過，舉棒對面相還。戰不數合，那怪吊回頭，望巽地上，才待要張口呼風，衹見那半空裏，靈吉菩薩將飛龍寶杖丢將下來，不知念了些甚麽咒語，却是一條八爪金龍，撥喇的輪開兩爪，一把抓住妖精，提着頭，兩三摔，摔在山石崖邊，現了本相，却是一個黄毛貂鼠。行者趕上，舉棒就打，被菩薩攔住道：『大聖，莫傷他命。我還要帶他去見如來。』對行者道：『他本是靈山脚下的得道老鼠；因爲偷了琉璃盞内的清油，燈火昏暗，恐怕金剛拿他，故此走了，却在此處成精作怪。如來照見了他，不該死罪，故着我轄押，但他傷生造孽，拿上靈山；今又衝撞大聖，陷害唐僧，我拿他去見如來，明正其罪，才算這場功績哩。』行者聞言，却謝了菩薩。菩薩西歸不題。

却説豬八戒在那林内，正思量行者，衹聽得山坡下叫聲『悟能兄弟，牽馬挑擔來耶。』那呆子認得是行者聲音，急收拾跑出林外，見了行者道：『哥哥，怎的幹事來？』行者道：『請靈吉菩薩，使一條飛龍杖，拿住妖精，原來是個黄毛貂鼠成精，被他帶去靈山見如來去了。我和你洞裏去救師父。』那呆子才歡歡喜喜。

二人撞入裏面，把那一窩狡兔、妖狐、香獐、角鹿，一頓釘鈀鐵棒，盡情打死，却往後園拜救師父。師父出得門來，問道：『你兩人怎生捉得妖精？如何方救得我？』行者將那請靈吉降妖的事情，陳了一遍。師父謝之不盡。他兄弟們把洞中素物，安排些茶飯吃了，方纔出門，找大路向西而去。

畢竟不知向後如何，且聽下回分解。

總批：

靈吉二字最可思，大抵兇惡悔吝都從痴愚不醒得來。人若不自知耳，知則有何悔吝哉？非深于易者，不能知此。

黄毛老鼠，我心之偷者。是問何以有風？曰偷則風矣，風則偷矣。

黄風是病，靈吉是藥，都在本身尋取，勿認做事實，令作者笑人也。

第二十二回　八戒大戰流沙河　木叉奉法收悟淨

話說唐僧師徒三衆，脱難前來，不一日，行過了八百黄風嶺，進西却是一脉平陽之地。光陰迅速，歷夏經秋，見了些寒蟬鳴敗柳，大火向西流。

正行處，衹見一道大水狂瀾，渾波湧浪。三藏在馬上忙呼道：「徒弟，你看那前邊水勢寬闊，怎不見船衹行走，我們從那裏過去？」八戒見了道：「果是狂瀾，無舟可渡。」那行者跳在空中，用手搭涼篷而看。他也心驚道：「師父啊，真個是難，真個是難！這條河若論老孫去時，衹消把腰兒扭一扭，就過去了；若師父，誠千分難渡，萬載難行。」三藏道：「我這裏一望無邊，端的有多少寬闊？」行者道：「徑過有八百里遠近。」八戒道：「哥哥怎的定得個遠近之數？」行者道：「不瞞賢弟説，老孫這雙眼，白日裏常看得千里路上的吉凶。却纔在空中看出：此河上下不知多遠，但衹見這徑過足有八百里。」長老憂嗟煩惱，兜回馬，忽見岸上有一通石碑。三衆齊來看時，見上有三個篆字，乃『流沙河』；腹上有小小的四行真字云：

『八百流沙界，三千弱水深。鵝毛飄不起，蘆花定底沉。』

師徒們正看碑文，衹聽得那浪湧如山，波翻若嶺，河當中滑辣的鑽出一個妖精，十分兇醜：

一頭紅焰髮蓬松，兩隻圓睛亮似燈。不黑不青藍靛臉，如雷如鼓老龍聲。身披一領鵝黄氅，腰束雙攢露白藤。項下骷髏懸九個，手持寶杖甚崢嶸。

那怪一個旋風，奔上岸來，徑搶唐僧，慌得行者把師父抱住，急登高岸，回身走脱。那八戒放下擔子，掣出鐵鈀，望妖精便築。那怪使寶杖架住。他兩個在流沙河岸，各逞英雄。這一場好鬥：

九齒鈀，降妖杖，二人相敵河岸上。這個是總督大天蓬，那個是謫下捲簾將。昔年曾會在靈霄，今日爭持賭猛壯。這一個鈀去探爪龍，那一個杖架磨牙象。伸開大四平，鑽入迎風戧。這個没頭没臉抓，那個無亂無空放。一個是久佔流沙界吃人精，一個是秉教迦持修行將。

他兩個來來往往，戰經二十回合，不分勝負。

那大聖護了唐僧，牽着馬，守定行李，見八戒與那怪交戰，就恨得咬牙切齒，擦掌磨拳，忍不住要去打他，掣出棒來道：「師父，你坐着，莫怕。等老孫和他耍耍兒來。」那師父苦留不住。他打個唿哨，跳到前邊，原來那怪與八戒正戰到好處，難解難分。被行者輪起鐵棒，望那怪着頭一下，那怪急轉身，慌忙躲過，徑鑽入流沙河裏。氣得個八戒亂跳道：「哥啊！誰着你來的！那怪漸漸手慢，難架我鈀，再不上三五合，我就擒住他了！他見你兇險，敗陣而逃，怎生是好！」行者笑道：「兄弟，實不瞞你説：自從降了黄風怪，下山來，這個把月不曾耍棍，我見你和他戰的甜美，我就忍不住脚癢，故就跳將來耍耍的。——那知那怪不識耍，就走了。」

他兩個攙着手，説説笑笑，轉回見了唐僧。唐僧道：「可曾捉得妖怪？」行者道：「那妖怪不奈戰，敗回鑽入水去也。」三藏道：「徒弟，這怪久住于此，他知道淺深；似這般無邊的弱水，又没了舟楫，須是得個知水性的，引領引領才好哩。」行者道：「正是這等説。常言道：『近朱者赤，近墨者黑。』那怪在此，斷知水性。我們如今拿住他，且不要打殺，衹教他送師父過河，再做理會。」八戒道：「哥哥不必遲疑，讓你先去拿他，等老豬看守師父。」行者笑道：「賢弟呀，這椿兒我不敢説嘴。水裏勾當，老孫不大十分熟。若是空走，還要捻訣，又念念『避水咒』，方纔走得；不然，就要變化做甚麽魚蝦蟹鱉之類，我纔去得。若論賭手段，憑你在高山雲裏，幹甚麽蹊蹺异樣事兒，老孫都會；只是水裏的買賣，有些兒榔杭。」八戒道：「老豬當年總督天河，掌管了八萬水兵大衆，倒學得知些水性，——却只怕那水裏有甚麽眷族老小，七窩八代的都來，我就弄他不過。一時被他撈去，却怎麽好？」行者道：「你若到水中與他交戰，却不要戀戰，許敗不許勝，把他引將出來，等老孫下手助你。」八戒道：「言得是，我去耶。」説聲去，就剥了青錦直裰，脱了鞋，雙手舞鈀，分開水路，使出那當年的舊手段，躍浪翻波，撞將進去，徑

至水底之下，往前正走。

却說那怪敗了陣回，方纔喘定，又聽得有人推得水響，忽起身觀看，原來是八戒執了鈀推水。那怪舉杖當面高呼道：『那和尚！那裏走！仔細看打！』八戒使鈀架住道：『你是個甚麽妖精，敢在此間擋路？』那妖道：『你是也不認得我。我不是那妖魔鬼怪，也不是少姓無名。』八戒道：『你既不是邪妖鬼怪，却怎生在此傷生？你端的甚麽姓名，實實說來，我饒你性命。』那怪道：

『我自小生來神氣壯，乾坤萬里曾遊蕩。英雄天下顯威名，豪杰人家做模樣。萬國九州任我行，五湖四海從吾撞。皆因學道蕩天涯，衹爲尋師遊地曠。常年衣鉢謹隨身，每日心神不可放。沿地雲遊數十遭，到處閑行百餘趟。因此才得遇真人，引開大道金光亮。先將嬰兒姹女收，後把木母金公放。明堂腎水入華池，重樓肝火投心臟。三千功滿拜天顔，志心朝禮明華向。玉皇大帝便加昇，親口封爲捲簾將。南天門裏我爲尊，靈霄殿前吾稱上。腰間懸挂虎頭牌，手中執定降妖杖。頭頂金盔晃日光，身披鎧甲明霞亮。往來護駕我當先，出入隨朝予在上。衹因王母降蟠桃，設宴瑶池邀衆將。失手打破玉玻璃，天神個個魂飛喪。玉皇即便怒生嗔，却令掌朝左輔相：卸冠脫甲摘官銜，將身推在殺場上。多虧赤脚大天仙，越班啓奏將吾放。饒死回生不典刑，遭貶流沙東岸上。飽時困卧此山中，餓去翻波尋食餉。樵子逢吾命不存，漁翁見我身皆喪。來來往往吃人多，翻翻複複傷生瘴。你敢行兇到我門，今日肚皮有所望。莫言粗糙不堪嘗，拿住消停剁鮓醬！』

八戒聞言大怒，駡道：『你這潑物，全没一些兒眼力！我老猪還掐出水沫兒來哩，你怎敢說我粗糙，要剁鮓醬！看起來，你把我認做個老走硝哩。休得無禮！吃你祖宗這一鈀！』那怪見鈀來，使一個『鳳點頭』躲過。兩個在水中打出水面，各人踏浪登波。這一場賭鬥，比前不同。你看那：

捲簾將，天蓬帥，各顯神通真可愛。那個降妖寶杖着頭輪，這個九齒釘鈀隨手快。躍浪振山川，推波昏世界。兇如太歲撞幢幡，惡似喪門掀寶蓋。這一個赤心凛凛保唐僧，那一個犯罪滔滔爲水怪。鈀抓一下九條痕，杖打之時魂魄敗。努力喜相持，用心要賭賽。算來衹爲取經人，怒氣衝天不忍耐。攪得那鯉鱖退鮮鱗，龜鱉黿鼉傷嫩蓋；紅蝦紫蟹命皆亡，水府諸神朝上拜。祇聽得波翻浪滚似雷轟，日月無光天地怪。

二人整鬥有兩個時辰，不分勝敗。這才是銅盆逢鐵帚，玉磬對金鐘。

却說那大聖保着唐僧，立于左右，眼巴巴的望着他兩個在水上争持，只是他不好動手。衹見那八戒虚幌一鈀，佯輸詐敗，轉回頭往東岸上走。那怪隨後趕來，將近到了岸邊，這行者忍耐不住，撇了師父，掣鐵棒，跳到河邊，望妖精劈頭就打。那妖物不敢相迎，颼的又鑽入河内。八戒嚷道：『你這弼馬温，徹是個急猴子！你再緩緩些兒，等我哄他到了高處，你却阻住河邊，教他不能回首呵，却不拿住他也；他這進去，幾時又肯出來？』行者笑道：『呆子，莫嚷！莫嚷！我們且回去見師父去來。』

八戒却同行者到高岸上，見了三藏。三藏欠身道：『徒弟辛苦哇。』八戒道：『且不說辛苦，只是降了妖精，送得你過河，方是萬全之策。』三藏道：『你才與妖精交戰何如？』八戒道：『那妖的手段，與老猪是個對手。正戰處，使一個詐敗，他才趕到岸上。見師兄舉着棍子，他就跑了。』三藏道：『如此怎生奈何？』行者道：『師父放心，且莫焦惱。如今天色又晚，且坐在這崖次之下，待老孫去化些齋飯來，你吃了睡去，待明日再處。』八戒道：『說得是，你快去快來。』

行者急縱雲跳起去，正到直北下人家化了一鉢素齋，回獻師父。師父見他來得甚快，便叫：『悟空，我們去化齋的人家，求問他一個過河之策，不强似與這怪争持？』行者笑道：『這家子遠得狠哩！相去有五七千里之路。他那裏得知水性？問他何益？』八戒道：『哥哥又來扯謊了。五七千里路，你怎麽這等去來得快？』行者道：『你那裏曉得，老孫的筋斗雲，一縱有十萬八千里。像這五七千路，祇消

把頭點上兩點，把腰躬上一躬，就是個往回，有何難哉！」八戒道：「哥啊，既是這般容易，你把師父揹着，祇消點點頭，躬躬腰，跳過去罷了；何必苦苦的與他廝戰？」行者道：「你不會駕雲？你把師父馱過去不是？」八戒道：「師父的凡胎肉骨，重似泰山，我這駕雲的，怎稱得起？須是你的筋斗方可。」行者道：「我的筋斗，好道也是駕雲，只是去的有遠近些兒。你是馱不動，我却如何馱得動？自古道：『遣泰山輕如芥子，携凡夫難脱紅塵。』像這潑魔毒怪，使攝法，弄風頭，却是扯扯拉拉，就地而行，不能帶得空中而去，像那樣法兒，老孫也會使會弄；還有那隱身法、縮地法，老孫件件皆知。但只是師父要窮歷异邦，不能够超脱苦海，所以寸步難行也。我和你祇做得個擁護，保得他身在命在，替不得這些苦惱，也取不得經來；就是有能先去見了佛，那佛也不肯把經善與你我：正叫做『若將容易得，便作等閑看。』」那呆子聞言，喏喏聽受。遂吃了些無菜的素食，師徒們歇在流沙河東，崖岸之下。

次早，三藏道：「悟空，今日怎生區處？」行者道：「没甚區處，還須八戒下水。」八戒道：「哥哥，你要圖乾净，祇作成我下水。」行者道：「賢弟，這番我再不急性了，祇讓你引他上來，我攔住河沿，不讓他回去，務要將他擒了。」

好八戒，抹抹臉，抖擻精神，雙手拿鈀，到河沿，分開水路，依然又下至窩巢。那怪方纔睡醒，忽聽推得水響，急回頭睁睛看看。見八戒執鈀下至，他跳出來，當頭阻住。喝道：「慢來！慢來！看杖！」八戒舉鈀架住道：「你是個甚麽『哭喪杖』，斷叫你祖宗看杖！」那怪道：「你這厮甚不曉得哩！我這

寶杖原來名譽大，本是月裏梭羅派。吳剛伐下一枝來，魯班製造工夫蓋。裏邊一條金趁心，外邊萬道珠絲玠。名稱寶杖善降妖，永鎮靈霄能伏怪。祇因官拜大將軍，玉皇賜我隨身帶。或長或短任吾心，要細要粗憑意態。也曾護駕宴蟠桃，也曾隨朝居上界。值殿曾經衆聖参，捲簾曾見諸仙拜。養成靈性一神兵，不是人間凡器械。自從遭貶下天門，任意縱横遊海外。不當大膽自稱誇，天下槍刀難比賽。看你那個銹釘鈀，祇好鋤田與築菜！」

八戒笑道：「我把你少打的潑物！且莫管甚麽築菜，只怕蕩了一下兒，教你没處貼膏藥，九個眼子一齊流血！縱然不死，也是個到老的破傷風！」那怪丢開架手，在那水底下，與八戒依然打出水面。這一番鬥，比前果更不同。你看他：

寶杖輪，釘鈀築，言語不通非眷屬。祇因木母克刀圭，致令兩下相戰觸。没輸贏，無反復，翻波淘浪不和睦。這個怒氣怎含容？那個傷心難忍辱。鈀來杖架逞英雄，水滚流沙能惡毒。氣昂昂，勞碌碌，多因三藏朝西域。釘鈀老大兇，寶杖十分熟。這個揪住要往岸上拖，那個抓來就將水裏沃。聲如霹靂動魚龍，雲暗天昏神鬼伏。

這一場，來來往往，鬥經三十回合，不見强弱。八戒又使個佯輸計，拖了鈀走。那怪隨後又趕來，擁波捉浪，趕至崖邊。八戒罵道：「我把你這個潑怪！你上來！這高處，脚踏實地好打！」那妖罵道：「你這厮哄我上去，又教那幫手來哩。你下來，還在水裏相鬥。」原來那妖乖了，再不肯上岸，祇在河沿與八戒鬧吵。

却説行者見他不肯上岸，急得他心焦性爆，恨不得一把捉來，行者道：「師父！你自坐下，等我與他個『餓鷹雕食』。」就縱筋斗，跳在半空，刷的落下來，要抓那妖。那妖正與八戒嚷鬧，忽聽得風響，急回頭，見是行者落下雲來，却又收了那杖，一頭淬下水，隱跡潛踪，渺然不見。行者佇立岸上，對八戒説：「兄弟呀，這妖也弄得滑了。他再不肯上岸，如之奈何？」八戒道：「難！難！難！戰不勝他！——就把吃奶的氣力也使盡了，祇绷得個手平。」行者道：「且見師父去。」

二人又到高岸，見了唐僧，備言難捉。那長老滿眼下泪道：「似此艱難，怎生得渡！」行者道：「師父莫要煩惱。這怪深潛水底，其實難行。八戒，你祇在此保守師父，再莫與他厮鬥，等老孫往南海走走去來。」八戒道：「哥啊，你去南海何幹？」行者道：「這取經的勾當，原是觀音菩薩；及脱解我等，也是觀音菩薩；今日路阻流沙

河，不能前進，不得他，怎生處治？等我去請他，還强如和這妖精相鬥。」八戒道：「也是，也是。師兄，你去時，千萬與我上復一聲：向日多承指教。」三藏道：「悟空，若是去請菩薩，却也不必遲疑，快去快來。」

行者即縱筋斗雲，徑上南海。咦！那消半個時辰，早望見普陀山境。須臾間，墜下筋斗，到紫竹林外，又祇見那二十四路諸天，上前迎着道：「大聖何來？」行者道：「我師有難，特來謁見菩薩。」諸天道：「請坐，容報。」那輪日的諸天，徑至潮音洞口報道：「孫悟空有事朝見。」菩薩正與捧珠龍女在寶蓮池畔扶欄看花，聞報，即轉雲岩，開門喚入。大聖端肅皈依參拜。

菩薩問曰：「你怎麽不保唐僧？爲甚事又來見我？」行者啓上道：「菩薩，我師父前在高老莊，又收了一個徒弟，喚名猪八戒，多蒙菩薩又賜法諱悟能。才行過黄風嶺，今至八百里流沙河，乃是弱水三千，師父已是難渡；河中又有個妖怪，武藝高强，甚虧了悟能與他水面上大戰三次，只是不能取勝，被他攔阻，不能渡河。因此，特告菩薩，望垂憐憫，濟渡他一濟渡。」菩薩道：「你這猴子，又逞自滿，不肯説出保唐僧的話來麽？」行者道：「我們只是要拿住他，教他送我師父渡河。水裏事，我又弄不得精細，只是悟能尋着他窩巢，與他打話。想是不曾説出取經的勾當。」菩薩道：「那流沙河的妖怪，乃是捲簾大將臨凡，也是我勸化的善信，教他保護取經之輩。你若肯説出是東土取經人呵，他决不與你争持，斷然歸順矣。」行者道：「那怪如今怯戰，不肯上崖，祇在水裏潛踪，如何得他歸順？我師如何得渡弱水？」

菩薩即喚惠岸，袖中取出一個紅葫蘆兒，吩咐道：「你可將此葫蘆，同孫悟空到流沙河水面上，祇叫『悟净』，他就出來了。先要引他歸依了唐僧，然後把他那九個骷髏穿在一處，按九宫佈列，却把這葫蘆安在當中，就是法船一隻，能渡唐僧過流沙河界。」惠岸聞言，謹遵師命，當時與大聖捧葫蘆出了潮音洞，奉法旨辭了紫竹林。有詩爲證：

五行匹配合天真，認得從前舊主人。煉已立基爲妙用，辨明邪正見原因。金來歸性還同類，木去求情共復淪。二土全功成寂寞，調和水火没纖塵。

他兩個，不多時，按落雲頭，早來到流沙河岸。猪八戒認得是木叉行者，引師父上前迎接。那木叉與三藏禮畢，又與八戒相見。八戒道：「向蒙尊者指示，得見菩薩，我老猪果遵法教，今喜拜了沙門。這一向在途中奔碌，未及致謝，恕罪，恕罪。」行者道：「且莫叙闊。我們叫喚那厮去來。」三藏道：「叫誰？」行者道：「老孫見菩薩，備陳前事。菩薩説：這流沙河的妖怪，乃是捲簾大將臨凡；因爲在天有罪，墮落此河，忘形作怪。他曾被菩薩勸化，願歸師父往西天去的。但是我們不曾説出取經的事情，故此苦争鬥。菩薩今差木叉，將此葫蘆，要與這厮結作法船，渡你過去哩。」三藏聞言，頂禮不盡。對木叉作禮道：「萬望尊者作速一行。」

那木叉捧定葫蘆，半雲半霧，徑到了流沙河水面上，厲聲高叫道：「悟净！悟净！取經人在此久矣，你怎麽還不歸順！」

却説那怪懼怕猴王，回于水底，正在窩中歇息。祇聽得叫他法名，情知是觀音菩薩；又聞得説「取經人在此」，他也不懼斧鉞，急翻波伸出頭來，又認得是木叉行者。你看他笑盈盈，上前作禮道：「尊者失迎。菩薩今在何處？」木叉道：「我師未來，先差我來吩咐你早跟唐僧做個徒弟。叫把你項下挂的骷髏與這個葫蘆，按九宫結做一隻法船，渡他過此弱水。」悟净道：「取經人却在那裏？」木叉用手指道：「那東岸上坐的不是？」悟净看見了八戒道：「他不知是那裏來的個潑物，與我整鬥了這兩日，何曾言着一個取經的字兒？」又看見行者，道：「這個主子，是他的幫手，好不利害！我不去了。」木叉道：「那是猪八戒，這是孫行者。俱是唐僧的徒弟，俱是菩薩勸化的，怕他怎的？我且和你見唐僧去。」那悟净才收了寶杖，整一整黄錦直裰，跳上岸來，對唐僧雙膝跪下道：「師父，弟子有眼無珠，不認得師父的尊容，多有衝撞，萬望恕罪。」八戒道：「你這膿包，怎的早不皈依，祇管要與我打？是

何說話！」行者笑道：「兄弟，你莫怪他，還是我們不曾說出取經的事樣與姓名耳。」長老道：「你果肯誠心皈依吾教麼？」悟净道：「弟子向蒙菩薩教化，指河爲姓，與我起個法名，唤做沙悟净，豈有不從師父之理！」三藏道：「既如此，」叫：「悟空，取戒刀來，與他落了髮。」大聖依言，即將戒刀與他剃了頭。又來拜了三藏，拜了行者與八戒，分了大小。三藏見他行禮，真像個和尚家風，故又叫他做沙和尚。木叉道：「既秉了迦持，不必敘煩，早與作法船兒來。」

那悟净不敢怠慢，即將頸項下挂的骷髏取下，用索子結作九宫，把菩薩葫蘆安在當中，請師父下岸。那長老遂登法船，坐于上面，果然穩似輕舟。左有八戒扶持，右有悟净捧托；孫行者在後面牽了龍馬，半雲半霧相跟；頭直上又有木叉擁護；那師父才飄然穩渡流沙河界，浪静風平過弱河。真個也如飛似箭，不多時，身登彼岸，得脱洪波，又不拖泥帶水，幸喜脚乾手燥，清净無爲，師徒們脚踏實地。那木叉按祥雲，收了葫蘆。又衹見那骷髏一時解化作九股陰風，寂然不見。三藏拜謝了木叉，頂禮了菩薩。正是：

木叉徑回東洋海，三藏上馬却投西。

畢竟不知幾時才得正果求經，且聽下回分解。

總批：

若要净也，須沙清金見，即一姓名中，都有微旨，《西遊》一記，可草草讀耶？

第二十三回　三藏不忘本　四聖試禪心

詩曰：

奉法西來道路賒，秋風漸漸落霜花。乖猿牢鎖繩休解，劣馬勤兜鞭莫加。木母金公原自合，黄婆赤子本無差。咬開鐵彈真消息，般若波羅到彼家。

這回書，蓋言取經之道，不離了一身務本之道也。却說他師徒四衆，了悟真如，頓開塵鎖，自跳出性海流沙，渾無挂礙，徑投大路西來。歷遍了青山绿水，看不盡野草閑花。真個也光陰迅速，又值九秋。但見了些：

楓葉滿山紅，黄花耐晚風。老蟬吟漸懶，愁蟋思無窮。荷破青紈扇，橙香金彈叢。可憐數行雁，點點遠排空。

正走處，不覺天晚。三藏道：「徒弟，如今天色又晚，却往那裏安歇？」行者道：「師父說話差了。出家人餐風宿水，卧月眠霜，隨處是家。又問那裏安歇，何也？」猪八戒道：「哥啊，你衹知道你走路輕省，那裏管别人纍贅？自過了流沙河，這一向爬山過嶺，身挑着重擔，老大難挨也！須是尋個人家，一則化些茶飯，二則養養精神，才是個道路。」行者道：「呆子，你這般言語，似有報怨之心。還像在高老莊，倚懶不求福的自在，恐不能也。既是秉正沙門，須是要吃辛受苦，才做得徒弟哩。」八戒道：「哥哥，你看這擔行李多重？」行者道：「兄弟，自從有了你與沙僧，我又不曾挑着，那知多重？」八戒道：「哥啊，你看看數兒麼：

四片黄藤篾，長短八條繩。又要防陰雨，氈包三四層。扁擔還愁滑，兩頭釘上釘。銅鑲鐵打九環杖，篾絲藤纏大斗篷。

似這般許多行李，難爲老猪一個逐日家擔着走，偏你跟師父做徒弟，拿我做長工！」行者笑道：「呆子，你和誰說哩？」八戒道：「哥哥，與你說哩。」行者道：「錯和我說了。老孫衹管師父好歹，你與沙僧，專管行李、馬匹。但若怠慢了些兒，孤拐上先是一頓粗棍！」八戒道：「哥啊，不要說打，打就是以力欺人。我曉得你的尊

性高傲，你是定不肯挑；但師父騎的馬，那般高大肥盛，衹馱着老和尚一個，教他帶幾件兒，也是弟兄之情。」

行者道：「你説他是馬哩！他不是凡馬，本是西海龍王敖閏之子，唤名龍馬三太子。衹因縱火燒了殿上明珠，被他父親告了忤逆，身犯天條，多虧觀音菩薩救了他的性命；他在那鷹愁陡澗，久等師父，又幸得菩薩親臨，却將他退鱗去角，摘了項下珠，才變做這匹馬，願馱師父往西天拜佛。這個都是各人的功果，你莫攀他。」那沙僧聞言道：「哥哥，真個是龍麽？」行者道：「是龍。」八戒道：「哥啊，我聞得古人云：『龍能噴雲曖霧，播土揚沙；有巴山捎嶺的手段，有翻江攪海的神通。』怎麽他今日這等慢慢而走？」行者道：「你要他快走，我教他快走個兒你看。」好大聖，把金箍棒揝一揝，萬道彩雲生。那馬看見拿棒，恐怕打來，慌得四隻蹄疾如飛電，颼的跑將去了。那師父手軟勒不住，盡他劣性，奔上山崖，才大達辿步走。師父喘息始定，抬頭遠見一簇松陰，内有幾間房舍，着實軒昂。但見：

門垂翠柏，宅近青山。幾株松冉冉，數莖竹斑斑。籬邊野菊凝霜艷，橋畔幽蘭映水丹。粉泥墻壁，磚砌圍圜。高堂多壯麗，大厦甚清安。牛羊不見無鷄犬，想是秋收農事閑。

那師父正按轡徐觀，又見悟空兄弟方到。悟淨道：「師父不曾跌下馬來麽？」長老罵道：「悟空這潑猴，他把馬兒驚了，早是我還騎得住哩！」行者陪笑道：「師父莫罵我，都是猪八戒説馬行遲，故此着他快些。」那呆子因趕馬，走急了些兒，喘氣噓噓，口裏唧唧噥噥的鬧道：「罷了！罷了！見自肚別腰鬆，擔子沉重，挑不上來，又弄我奔奔波波的趕馬！」長老道：「徒弟啊，你且看那壁廂，有一座莊院，我們却好借宿去也。」行者聞言，急抬頭舉目而看，果見那半空中慶雲籠罩，瑞靄遮盈。情知定是佛仙點化，他却不敢泄漏天機，衹道：「好！好！好！我們借宿去來。」

長老連忙下馬。見一座門樓，乃是垂蓮象鼻，畫棟雕梁。沙僧歇了擔子。八戒牽了馬匹道：「這個人家，是

過當的富實之家。」行者就要進去。三藏道：「不可，你我出家人，各自避些嫌疑，切莫擅入。且自等他有人出來，以禮求宿，方可。」八戒拴了馬，斜倚墻根之下。三藏坐在石鼓上。行者、沙僧坐在臺基邊。久無人出。行者性急，跳起身入門裏看處：原來有向南的三間大廳，簾櫳高控。屏門上，挂一軸壽山福海的横披畫；兩邊金漆柱上，貼着一幅大紅紙的春聯，上寫着：

絲飄弱柳平橋晚，雪點香梅小院春。

正中間，設一張退光黑漆的香几，几上放一個古銅獸爐。上有六張交椅。兩山頭挂着四季吊屏。

行者正然偷看處，忽聽得後門内有脚步之聲，走出一個半老不老的婦人來，嬌聲問道：「是甚麽人，擅入我寡婦之門？」慌得個大聖喏喏連聲道：「小僧是東土大唐來的，奉旨向西方拜佛求經。一行四衆，路過寶方，天色已晚。特奔老菩薩檀府，告借一宵。」那婦人笑語相迎道：「長老，那三位在那裏？請來。」行者高聲叫道：「師父，請進來耶。」三藏才與八戒、沙僧牽馬挑擔而入。衹見那婦人出廳迎接。八戒餳眼偷看，你道他怎生打扮：

穿一件織錦官緑紵絲襖，上罩着淺紅比甲；繫一條結彩鵝黄錦綉裙，下映着高底花鞋。時樣䯼髻皂紗漫，相襯着二色盤龍髮；宫樣牙梳朱翠晃，斜簪着兩股赤金釵。雲鬢半蒼飛鳳翅，耳環雙墜寶珠排；脂粉不施猶自美，風流還似少年才。

那婦人見了他三衆，更加欣喜，以禮邀入廳房。一一相見禮畢，請各叙坐看茶。那屏風後，忽有一個丫髻垂絲的女童，托着黄金盤、白玉盞，香茶噴暖氣，异果散幽香。那人綽彩袖，春笋纖長；擎玉盞，傳茶上奉，對他們一一拜了。

茶畢，又吩咐辦齋。三藏啓手道：「老菩薩，高姓？貴地是甚地名？」婦人道：「此間乃西牛賀洲之地。小婦人娘家姓賈，夫家姓莫。幼年不幸，公姑早亡，與丈夫守承祖業。有家資萬貫，良田千頃。夫妻們命裏無子，

止生了三個女孩兒。前年大不幸，又喪了丈夫。小婦居孀，今歲服滿。空遺下田產家業，再無個眷族親人，只是我娘女們承領。欲嫁他人，又難捨家業。適承長老下降，想是師徒四衆。小婦娘女四人，意欲坐山招夫，四位恰好。不知尊意肯否如何。』三藏聞言，推聾妝啞，瞑目寧心，寂然不答。

那婦人道：『捨下有水田三百餘頃，旱田三百餘頃，山場果木三百餘頃；黄水牛有一千餘祇，騾馬成群，猪羊無數；東南西北，莊堡草場，共有六七十處；家下有八九年用不着的米穀，十來年穿不着的綾羅；一生有使不着的金銀：勝强似那錦帳藏春，説甚麼金釵兩行；你師徒們若肯回心轉意，招贅在寒家，自自在在，享用榮華，却不强如往西勞碌？』那三藏也只是如痴如蠢，默默無言。

那婦人道：『我是丁亥年三月初三日酉時生。故夫比我年大三歲，我今年四十五歲。大女兒名真真，今年二十歲；次女名愛愛，今年十八歲；三小女名憐憐，今年十六歲；俱不曾許配人家。雖是小婦人醜陋，却幸小女俱有幾分顏色，女工針指，無所不會。因是先夫無子，即把他們當兒子看養。小時也曾教他讀些儒書，也都曉得些吟詩作對。雖然居住山莊，也不是那十分粗俗之類，料想也配得過列位長老。若肯放開懷抱，長髮留頭，與捨下做個家長，穿綾着錦，勝强如那瓦鉢緇衣，雪鞋雲笠！』

三藏坐在上面，好便似雷驚的孩子，雨淋的蝦蟆；只是呆呆掙掙，翻白眼兒打仰。那八戒聞得這般富貴，這般美色，他却心癢難撓；坐在那椅子上，一似針戳屁股，左扭右扭的，忍耐不住。走上前，扯了師父一把道：『師父！這娘子告誦你話，你怎麼佯佯不睬？好道也做個理會是。』那師父猛抬頭，咄的一聲，喝退了八戒道：『你這個孽畜！我們是個出家人，豈以富貴動心，美色留意，成得個甚麼道理！』

那婦人笑道：『可憐！可憐！出家人有何好處？』三藏道：『女菩薩，你在家人，却有何好處？』那婦人道：『長老請坐，等我把在家人好處，説與你聽。怎見得？有詩爲證：

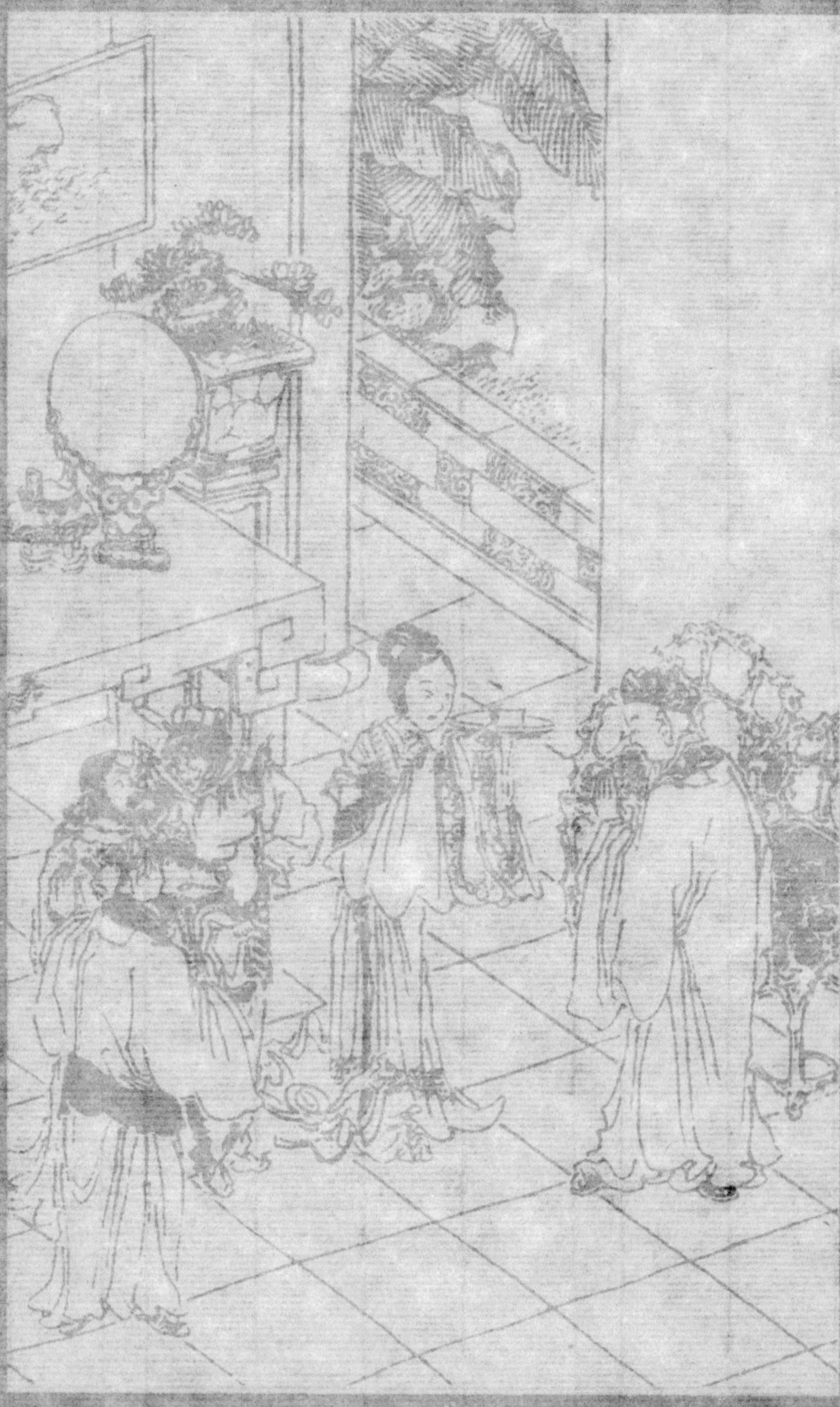

春裁方勝着新羅，夏換輕紗賞緑荷；秋有新　香糯酒，冬來暖閣醉顏酡。四時受用般般有，八節珍羞件件多；襯錦鋪綾花燭夜，强如行脚禮彌陀。』

三藏道：『女菩薩，你在家人享榮華，受富貴，有可穿，有可吃，兒女團圓，果然是好；但不知我出家的人，也有一段好處。怎見得？有詩爲證：

出家立志本非常，推倒從前恩愛堂。外物不生閑口舌，身中自有好陰陽。功完行滿朝金闕，見性明心返故鄉。勝似在家貪血食，老來墜落臭皮囊。』

那婦人聞言，大怒道：『這潑和尚無禮！我若不看你東土遠來，就該叱出。我倒是個真心實意，要把家緣招贅汝等，你倒反將言語傷我。你就是受了戒，發了願，永不還俗，好道你手下人，我家也招得一個。你怎麼這般執法？』

三藏見他發怒，只得者者謙謙，叫道：『悟空，你在這裏罷。』行者道：『我從小兒不曉得幹那般事，教八戒在這裏罷。』八戒道：『哥啊，不要栽人麼。——大家從長計較。』三藏道：『你兩個不肯，便教悟净在這裏罷。』沙僧道：『你看師父説的話。弟子蒙菩薩勸化，受了戒行，等候師父；自蒙師父收了我，又承教誨；跟着師父還不上兩月，更不曾進得半分功果，怎敢圖此富貴！寧死也要往西天去，决不幹此欺心之事。』那婦人見他們推辭不肯，急抽身轉進屏風，撲的把腰門關上。師徒們撇在外面，茶飯全無，再没人出。

八戒心中焦燥，埋怨唐僧道：『師父忒不會幹事，把話通説殺了。你好道還活着些脚兒，衹含糊答應，哄他些齋飯吃了，今晚落得一宵快活，明日肯與不肯，在乎你我了。似這般關門不出，我們這清灰冷竈，一夜怎過！』

悟净道：『二哥，你在他家做個女婿罷。』八戒道：『兄弟，不要栽人。——從長計較。』行者道：『計較甚的？你要肯，便就教師父與那婦人做個親家，你就做個倒踏門的女婿。他家這等有財有寳，一定倒陪妝奩，整治個會親的筵席。我們也落些受用。你在此間還俗，却不是兩全其美？』八戒道：『話便也是這等説，却只是我脱俗又還俗，停妻再娶妻了。』

沙僧道：『二哥原來是有嫂子的？』行者道：『你還不知他哩，他本是烏斯藏高老莊高太公的女婿。因被老孫降了，他也曾受菩薩戒行，没及奈何，被我捉他來做個和尚，所以弃了前妻，投師父往西拜佛。他想是離别的久了，又想起那個勾當。却纔聽見這個勾當，斷然又有此心。呆子，你與這家子做了女婿罷。只是多拜老孫幾拜，我不檢舉你就罷了。』

那呆子道：『胡説！胡説！大家都有此心，獨拿老猪出醜。常言道：「和尚是色中餓鬼。」那個不要如此？都這們扭扭捏捏的拿班兒，把好事都弄得裂了。這如今茶水不得見面，燈火也無人管，雖熬了這一夜，但那匹馬明日又要馱人，又要走路，再若餓上這一夜，只好剥皮罷了。你們坐着，等老猪去放放馬來。』那呆子虎急急的，解了繮繩，拉出馬去。

行者道：『沙僧，你且陪師父坐這裏，等老孫跟他去，看他往那裏放馬。』三藏道：『悟空，你看便去看他，但衹不可衹管嘲他了。』行者道：『我曉得。』這大聖走出廳房，摇身一變，變作個紅蜻蜓兒，飛出前門，趕上八戒。

那呆子拉着馬，有草處且不教吃草，嗒嗒嗤嗤的，趕着馬，轉到後門首去。衹見那婦人，帶了三個女子，在後門外閑立着，看菊花兒耍子。他娘女們看見八戒來時，三個女兒閃將進去。那婦人佇立門首道：『小長老那裏去？』這呆子丢了繮繩，上前唱個喏，道聲『娘！我來放馬的。』那婦人道：『你師父忒弄精細。在我家招了女婿，却不强似做挂搭僧，往西蹌路？』八戒笑道：『他們是奉了唐王的旨意，不敢有違君命，不肯幹這件事。剛纔都在前廳上栽我，我又有些奈上祝下的，衹恐娘嫌我嘴長耳大。』那婦人道：『我也不嫌，只是家下無個家長，招一個倒也罷了；但恐小女兒有些兒嫌醜。』八戒道：『娘，你上復令愛，不要這等揀漢。想我那唐僧，人才雖俊，其實不中用。我醜自醜，有幾句口號兒。』婦人道：『你怎的説麼？』八戒道：

『我雖然人物醜，勤緊有些功。若言千頃地，不用使牛耕。衹消一頓鈀，佈種及時生。沒雨能求雨，無風會喚風。房捨若嫌矮，起上二三層。地下不掃掃一掃，陰溝不通通一通。家長裏短諸般事，踢天弄井我皆能。』

那婦人道：『既然幹得家事，你再去與你師父商量商量看，不尷尬，便招你罷。』八戒道：『不用商量；他又不是我的生身父母，幹與不幹，都在于我。』婦人道：『也罷，也罷，等我與小女說。』看他閃進去，撲的掩上後門。八戒也不放馬，將馬拉向前來。

怎知孫大聖已一一盡知，他轉翅飛來，現了本相，先見唐僧道：『師父，悟能牽馬來了。』長老道：『馬若不牽，恐怕撒歡走了。』行者笑將起來，把那婦人與八戒說的勾當，從頭說了一遍。三藏也似信不信的。

少時間，見呆子拉將馬來拴下。長老道：『你馬放了？』八戒道：『無甚好草，沒處放馬。』行者道：『沒處放馬，可有處牽馬麽？』呆子聞得此言，情知走了消息，也就垂頭扭頸，努嘴皺眉，半晌不言。

又聽得呀的一聲，腰門開了，有兩對紅燈，一副提壺，香雲靄靄，環珮叮叮，那婦人帶着三個女兒，走將出來，叫真真、愛愛、憐憐，拜見那取經的人物。那女子排立廳中，朝上禮拜。果然也生得標緻。但見他：

一個個蛾眉橫翠，粉面生春。妖嬈傾國色，窈窕動人心。花鈿顯現多嬌態，綉帶飄飄迥絕塵。半含笑處櫻桃綻，緩步行時蘭麝噴。滿頭珠翠，顫巍巍無數寶釵簪；遍體幽香，嬌滴滴有花金縷細。說甚麽楚娃美貌，西子嬌容？真個是九天仙女從天降，月裏嫦娥出廣寒！

那三藏合掌低頭，孫大聖佯佯不睬，少沙僧轉背回身。你看那猪八戒，眼不轉睛，淫心紊亂，色膽縱橫，扭捏出悄語，低聲道：『有勞仙子下降。娘，請姐姐們去耶。』那三個女子，轉入屏風，將一對紗燈留下。婦人道：『四位長老，可肯留心，着那個配我小女麽？』悟净道：『我們已商議了，着那個姓猪的招贅門下。』八戒道：『兄弟，不要栽我，還從衆計較。』行者道：『還計較甚麽？你已是在後門首說合的停停當當，「娘」都叫了，又有甚麽計

較？師父做個男親家，這婆兒做個女親家，等老孫做個保親，沙僧做個媒人。也不必看通書，今朝是個天恩上吉日，你來拜了師父，進去做了女婿罷。」八戒道：「弄不成！弄不成！那裏好幹這個勾當！」行者道：「呆子，不要者囂。你那口裏『娘』也不知叫了多少，又是甚麽弄不成。快快的應成，帶携我們吃些喜酒，也是好處。」他一隻手揪着八戒，一隻手扯住婦人道：「親家母，帶你女婿進去。」那呆子脚兒趄趄的，要往那裏走。那婦人即喚童子：「展抹桌椅，鋪排晚齋，管待三位親家。我領姑夫房裏去也。」一壁廂又吩咐庖丁排筵設宴，明晨會親。那幾個童子，又領命訖。他三衆吃了齋，急急鋪鋪，都在客座裏安歇不題。

却説那八戒跟着丈母，行入裏面，一層層也不知多少房舍，磕磕撞撞，盡都是門檻絆脚。呆子道：「娘，慢些兒走。我這裏邊路生，你帶我帶兒。」那婦人道：「這都是倉房、庫房、碾房各房，還不曾到那厨房邊哩。」八戒道：「好大人家！」磕磕撞撞，轉灣抹角，又走了半會，才是内堂房屋。那婦人道：「女婿，你師兄説今朝是天恩上吉日，就教你招進來了；却只是倉卒間，不曾請得個陰陽，拜堂撒帳，你可朝上拜八拜兒罷。」八戒道：「娘，娘説得是。你請上坐，等我也拜幾拜，就當拜堂，就當謝親，兩當一兒，却不省事？」他丈母笑道：「也罷，也罷，果然是個省事幹家的女婿。我坐着，你拜麽。」

咦！滿堂中銀燭輝煌，這呆子朝上禮拜，拜畢。道：「娘，你把那個姐姐配我哩？」他丈母道：「正是這些兒疑難：我要把大女兒配你，恐二女怪；要把二女配你，恐三女怪；欲將三女配你，又恐大女怪。所以終疑未定。」八戒道：「娘，既怕相争，都與我罷，省得鬧鬧吵吵，亂了家法。」他丈母道：「豈有此理！你一人就佔我三個女兒不成！」八戒道：「你看娘説的話。那個没有三房四妾？就再多幾個，你女婿也笑納了。我幼年間，也曾學得個熬戰之法，管情一個個伏侍得他歡喜。」那婦人道：「不好！不好！我這裏有一方手帕，你頂在頭上，遮了臉，撞個天婚，教我女兒從你跟前走過，你伸開手扯倒那個就把那個配了你罷。」呆子依言，接了手帕，頂在頭上。有詩爲證。詩曰：

痴愚不識本原由，色劍傷身暗自休。從來信有周公禮，今日新郎頂蓋頭。

那呆子頂裹停當。道：「娘，請姐姐們出來麽。」他丈母叫：「真真、愛愛、憐憐，都來撞天婚，配與你女婿。」祇聽得環珮響亮，蘭麝馨香，似有仙子來往，那呆子真個伸手去撈人。兩邊亂撲，左也撞不着，右也撞不着。來來往往，不知有多少女子行動，只是莫想撈着一個。東撲抱着柱科，西撲摸着板壁。兩頭跑暈了，立站不穩，只是打跌。前來蹬着門扇，後去湯着磚墻。磕磕撞撞，跌得嘴腫頭青。坐在地下，喘氣嘑嘑的道：「娘啊，你女兒這等乖滑得緊，撈不着一個，奈何！奈何！」

那婦人與他揭了蓋頭道：「女婿，不是我女兒乖滑，他們大家謙讓，不肯招你。」八戒道：「娘啊，既是他們不肯招我啊，你招了我罷。」那婦人道：「好女婿呀！這等没大没小的，連丈母也都要了！我這三個女兒，心性最巧。他一人結了一個珍珠嵌錦汗衫兒。你若穿得那個的，就教那個招你罷。」八戒道：「好！好！好！把三件兒都拿來我穿了看；若都穿得，就教都招了罷。」那婦人轉進房裏，止取出一件來，遞與八戒。那呆子脱下青錦布直裰，取過衫兒，就穿在身上；還未曾繫上帶子，撲的一跤，跌倒在地。原來是幾條繩緊緊綳住。那呆子疼痛難禁。這些人早已不見了。

却説三藏、行者、沙僧一覺睡醒，不覺的東方發白。忽睁睛抬頭觀看，那裏得那大厦高堂，也不是雕梁畫棟，一個個都睡在松柏林中。慌得那長老忙呼行者。沙僧道：「哥哥，罷了！罷了！我們遇着鬼了！」孫大聖心中明白，微微的笑道：「怎麽説？」長老道：「你看我們睡在那裏耶！」行者道：「這松林下落得快活，但不知那呆子在那裏受罪哩。」長老道：「那個受罪？」行者笑道：「昨日這家子娘女們，不知是那裏菩薩，在此顯化我等，想是半夜裏去了，祇苦了豬八戒受罪。」三藏聞言，合掌頂禮。又祇見那後邊古柏樹上，飄飄蕩蕩的，挂着一張簡帖兒。沙僧急去取來與師父看時，却是八句頌子雲：

『黎山老母不思凡，南海菩薩請下山。普賢文殊皆是客，化成美女在林間。聖僧有德還無俗，八戒無禪更有凡。從此静心須改過，若生怠慢路途難！』

那長老、行者、沙僧正然唱念此頌，衹聽得林深處高聲叫道：『師父啊，綳殺我了！救我一救！下次再不敢了！』三藏道：『悟空，那叫喚的可是悟能麽？』沙僧道：『正是。』行者道：『兄弟，莫睬他，我們去罷。』三藏道：『那呆子雖是心性愚頑，却只是一味懞直，倒也有些膂力，挑得行李；還看當日菩薩之念，救他隨我們去罷。料他以後，再不敢了。』那沙和尚却捲起鋪蓋，收拾了擔子；孫大聖解韁牽馬，引唐僧入林尋看。咦！這正是：

從正修持須謹慎，掃除愛欲自歸真。

畢竟不知那呆子凶吉如何，且聽下回分解。

總批：

今人那一個不被真真、愛愛、憐憐弄壞了，不要獨笑老猪也。〇人但笑老猪三個女兒娶不成，反被他綳了一夜，不知若娶成了，其綳不知又當何如。試思之，世上有一個不在綳裏者否？

又批：

描畫八戒貪色處妙絶，衹三個『不要栽我，還從常計較』，便畫出無限不可畫處。

第二十四回　萬壽山大僊留故友　五莊觀行者竊人参

却説那三人穿林入裏，衹見那呆子綳在樹上，聲聲叫喊，痛苦難禁。行者上前笑道：『好女婿呀！這早晚還不起來謝親，又不到師父處報喜，還在這裏賣解兒耍子哩！——咄！你娘呢？你老婆呢？好個綳巴吊拷的女婿呀！』那呆子見他來搶白着羞，咬着牙，忍着疼，不敢叫喊。沙僧見了，老大不忍，放下行李，上前解了繩索救下。呆子對他們只是磕頭禮拜，其實羞耻難當。有《西江月》爲證：

色乃傷身之劍，貪之必定遭殃。佳人二八好容妝，更比夜叉兇壯。衹有一個原本，再無微利添囊。好將資本謹收藏，堅守休教放蕩。

那八戒撮土焚香，望空禮拜。行者道：『你可認得那些菩薩麽？』八戒道：『我已此暈倒昏迷，眼花撩亂，那認得是誰？』行者把那簡帖兒遞與八戒。八戒見了是頌子，更加慚愧。沙僧笑道：『二哥有這般好處哩，感得四位菩薩來與你做親！』八戒道：『兄弟再莫題起。不當人子了！從今後，再也不敢妄爲。——就是累折骨頭，也只是摩肩壓擔，隨師父西域去也。』三藏道：『既如此説才是。』

行者遂領師父上了大路。在路餐風宿水，行罷多時，忽見有高山擋路。三藏勒馬停鞭道：『徒弟，前面一山，必須仔細，恐有妖魔作耗，侵害吾黨。』行者道：『馬前但有我等三人，怕甚妖魔？』因此，長老安心前進。衹見那座山，真是好山：

高山峻極，大勢峥嶸。根接昆侖脉，頂摩霄漢中。白鶴每來栖檜柏，玄猿時復掛藤蘿。日映晴林，迭迭千條紅霧繞；風生陰壑，飄飄萬道彩雲飛。幽鳥亂啼青竹裏，錦鷄齊鬥野花間。衹見那千年峰、五福峰、芙蓉峰，巍巍凛凛放毫光；萬歲石、虎牙石、三尖石，突突磷磷生瑞氣。崖前草秀，嶺上梅香。荆棘密森森，芝蘭清淡淡。深林鷹鳳聚千禽，古洞麒麟轄萬獸。澗水有情，曲曲彎彎多繞顧；峰巒不斷，重重迭迭自周回。又見那緑的槐，斑的竹，青的松，

依依千載鬥穠華；白的李，紅的桃，翠的柳，灼灼三春爭艷麗。龍吟虎嘯，鶴舞猿啼。麋鹿從花出，青鸞對日鳴。乃是仙山真福地，蓬萊閬苑祇如然。又見些花開花謝山頭景，雲去雲來嶺上峰。

三藏在馬上歡喜道：『徒弟，我一向西來，經歷許多山水，都是那嵯峨險峻之處，更不似此山好景，果然的幽趣非常。若是相近雷音不遠路，我們好整肅端嚴見世尊。』行者笑道：『早哩！早哩！正好不得到哩！』沙僧道：『師兄，我們到雷音有多少遠？』行者道：『十萬八千里。十停中還不曾走了一停哩。』八戒道：『哥啊，要走幾年才得到？』行者道：『這些路，若論二位賢弟，便十來日也可到；若論我走，一日也好走五十遭，還見日色；若論師父走，莫想！莫想！』唐僧道：『悟空，你說得幾時方可到？』行者道：『你自小時走到老，老了再小，老小千番也還難；祇要你見性志誠，念念回首處，即是靈山。』沙僧道：『師兄，此間雖不是雷音，觀此景致，必有個好人居止。』行者道：『此言却當。這裏決無邪祟，一定是個聖僧、仙輩之鄉。我們遊玩慢行。』不題。

却說這座山名喚萬壽山，山中有一座觀，名喚五莊觀，觀裏有一尊仙，道號鎮元子，混名與世同君。那觀裏出一般异寶，乃是混沌初分，鴻濛始判，天地未開之際，産成這顆靈根。蓋天下四大部洲，惟西牛賀洲五莊觀出此，喚名『草還丹』，又名『人參果』。三千年一開花，三千年一結果，再三千年才得熟，短頭一萬年方得吃。似這萬年，祇結得三十個果子。果子的模樣，就如三朝未滿的小孩相似，四肢俱全，五官咸備。人若有緣，得那果子聞了一聞，就活三百六十歲；吃一個，就活四萬七千年。

當日鎮元大仙得元始天尊的簡帖，邀他到上清天上彌羅宮中聽講『混元道果』。大仙門下出的散仙，也不計其數，見如今還有四十八個徒弟，都是得道的全真。當日帶領四十六個上界去聽講，留下兩個絶小的看家：一個喚做清風，一個喚做明月。清風祇有一千三百二十歲，明月才交一千二百歲。鎮元子吩咐二童道：『不可違了大天尊的簡帖，要往彌羅宮聽講，你兩個在家仔細。不日有一個故人從此經過，却莫怠慢了他。可將我人參果打兩個與他吃，權表舊日之情。』二童道：『師父的故人是誰？望說與弟子，好接待。』大仙道：『他是東土大唐駕下的聖僧，道號三藏，今往西天拜佛求經的和尚。』二童笑道：『孔子云：「道不同，不相爲謀。」我等是太乙玄門，怎麼與那和尚做甚相識！』大仙道：『你那裏得知。那和尚乃金蟬子轉生，西方聖老如來佛第二個徒弟。五百年前，我與他在「蘭盆會」上相識。他曾親手傳茶，佛子敬我，故此是爲故人也。』

二仙童聞言，謹遵師命。那大仙臨行，又叮嚀囑咐道：『我那果子有數，祇許與他兩個，不得多費。』清風道：『開園時，大衆共吃了兩個，還有二十八個在樹，不敢多費。』大仙道：『唐三藏雖是故人，須要防備他手下人羅唣，不可驚動他知。』二童領命訖，那大仙承衆徒弟飛昇，徑朝天界。

却說唐僧四衆，在山遊玩，忽抬頭，見那松篁一簇，樓閣數層。唐僧道：『悟空，你看那裏是甚麼去處？』行者看了道：『那所在，不是觀宇，定是寺院。我們走動些，到那廂方知端的。』不一時，來于門首觀看，見那：

松坡冷淡，竹徑清幽。往來白鶴送浮雲，上下猿猴時獻果。那門前池寬樹影長，石裂苔花破。宮殿森羅紫極高，樓臺縹緲丹霞墮。真個是福地靈區，蓬萊雲洞。清虛人事少，寂靜道心生。青鳥每傳王母信，紫鸞常寄老君經。看不盡那巍巍道德之風，果然漠漠神仙之宅。

三藏離鞍下馬。又見那山門左邊有一通碑，碑上有十個大字，乃是『萬壽山福地，五莊觀洞天。』長老道：『徒弟，真個是一座觀宇。』沙僧道：『師父，觀此景鮮明，觀裏必有好人居住。我們進去看看，若行滿東回，此間也是一景。』行者道：『說得好。』遂都一齊進去。又見那二門上有一對春聯：

長生不老神仙府，與天同壽道人家。

行者笑道：『這道士說大話唬人。我老孫五百年前大鬧天宮時，在那太上老君門首，也不曾見有此話說。』八戒道：『且莫管他，進去！進去！或者這道士有些德行，未可知也。』

及至二層門裏，祇見那裏面急急忙忙，走出兩個小童兒來。看他怎生打扮：

骨清神爽容顏麗，頂結丫髻短髮鬅。道服自然襟繞霧，羽衣偏是袖飄風。環縧緊束龍頭結，芒履輕纏蠶口絨。
丰采异常非俗輩，正是那清風明月二仙童。

那童子控背躬身，出來迎接道：「老師父，失迎，請坐。」長老歡喜，遂與二童子上了正殿觀看。原來是向南的五間大殿，都是上明下暗的雕花格子。那仙童推開格子，請唐僧入殿處，祇見那壁中間挂着五彩裝成的「天地」二大字，設一張朱紅雕漆的香几，几上有一副黃金爐瓶，爐邊有方便整香。

唐僧上前，以左手拈香注爐，三匝禮拜。拜畢，回頭道：「仙童，你五莊觀真是西方仙界，何不供養三清、四帝、羅天諸宰，祇將「天地」二字侍奉香火？」童子笑道：「不瞞老師説。這兩個字，上頭的，禮上還當；下邊的，還受不得我們的香火。是家師父諂佞出來的。」三藏道：「何爲諂佞？」童子道：「三清是家師的朋友，四帝是家師的故人；九曜是家師的晚輩，元辰是家師的下賓。」

那行者聞言，就笑得打跌。八戒道：「哥啊，你笑怎的？」行者道：「祇講老孫會搗鬼，原來這道童會捆風！」三藏道：「令師何在？」童子道：「家師元始天尊降簡請到上清天彌羅宮聽講「混元道果」去了，不在家。」

行者聞言，忍不住喝了一聲道：「這個臊道童！人也不認得，你在那個面前搗鬼，扯甚麽空心架子！那彌羅宮有誰是太乙天仙？請你這潑牛蹄子去講甚麽！」三藏見他發怒，恐怕那童子回言，鬥起禍來。便道：「悟空，且休爭競。我們既進來就出去，顯得没了方情。常言道：「鷺鷥不吃鷺鷥肉。」他師既是不在，攪擾他做甚？你去山門前放馬，沙僧看守行李，教八戒解包袱。取些米糧，借他鍋竈，做頓飯吃，待臨行，送他幾文柴錢，便罷了。各依執事，讓我在此歇息歇息，飯畢就行。」他三人果各依執事而去。

那明月、清風，暗自誇稱不盡道：「好和尚！真個是西方愛聖臨凡，真元不昧。師父命我們接待唐僧，將人參果與他吃，以表故舊之情；又教防着他手下人羅唣。果然那三個嘴臉兇頑，性情粗糙。幸得就把他們調開了；若在邊前，却不與他人參果見面。」清風道：「兄弟，還不知那和尚可是師父的故人。問他一問看，莫要錯了。」二童子又上前道：「啓問老師可是大唐往西天取經的唐三藏？」長老回禮道：「貧僧就是。仙童爲何知我賤名？」童子道：「我師臨行，曾吩咐教弟子遠接。不期車駕來促，有失迎迓。老師請坐，待弟子辦茶來奉。」三藏道：「不敢。」那明月急轉本房，取一杯香茶，獻與長老。茶畢，清風道：「兄弟，不可違了師命，我和你去取果子來。」

二童別了三藏，同到房中，一個拿了金擊子，一個拿了丹盤，又多將絲帕墊着盤底，徑到人參園內。那清風爬上樹去，使金擊子敲果；明月在樹下，以丹盤等接。須臾，敲下兩個果來，接在盤中，徑至前殿奉獻道：「唐師父，我五莊觀土僻山荒，無物可奉，土儀素果二枚，權爲解渴。」那長老見了，戰戰兢兢，遠離三尺道：「善哉！善哉！今歲倒也年豐時稔，怎麽這觀裏作荒吃人？這個是三朝未滿的孩童，如何與我解渴？」清風暗道：「這和尚在那口舌場中，是非海裏，弄得眼肉胎凡，不識我仙家异寶。」明月上前道：「老師，此物叫做「人參果」，吃一個兒不妨。」三藏道：「胡説！胡説！他那父母懷胎，不知受了多少苦楚，方生下來。未及三日，怎麽就把他拿來當果子？」清風道：「實是樹上結的。」長老道：「亂談！亂談！樹上又會結出人來？拿過去，不當人子！」

那兩個童兒，見千推萬阻不吃，只得拿着盤子，轉回本房。那果子却也蹊蹺，久放不得；若放多時，即僵了，不中吃。二人到于房中，一家一個，坐在床邊上，祇情吃起。

噫！原來有這般事哩！他那道房，與那廚房緊緊的間壁。這邊悄悄的言語，那邊即便聽見。八戒正在廚房裏做飯，先前聽見説，取金擊子，拿丹盤，他已在心；又聽見他説，唐僧不認得是人參果，即拿在房裏自吃，口裏忍不住流涎道：「怎得一個兒嚐新！」自家身子又狼犺，不能够得動，祇等行者來，與他計較。他在那鍋門前，更無心

燒火，不時的伸頭探腦，出來觀看。

不多時，見行者牽將馬來，拴在槐樹上，徑往後走。那呆子用手亂招道：『這裏來！這裏來！』行者轉身，到于廚房門首，道：『呆子，你嚷甚的？想是飯不够吃。且讓老和尚吃飽，我們前邊大人家，再化吃去罷。』八戒道：『你進來，不是飯少。這觀裏有一件寶貝，你可曉得？』行者道：『甚麽寶貝？』八戒笑道：『説與你，你不曾見；拿與你，你不認得。』行者道：『這呆子笑話我老孫。老孫五百年前，因訪仙道時，也曾雲遊在海角天涯。那般兒不曾見？』八戒道：『哥啊，人參果你曾見麽？』行者驚道：『這個真不曾見。但祇常聞得人説，人參果乃是草還丹，人吃了極能延壽。如今那裏有得？』八戒道：『他這裏有。那童子拿兩個與師父吃，那老和尚不認得，道是三朝未滿的孩兒，不曾敢吃。那童子老大憊懶，師父既不吃，便該讓我們，他就瞞着我們，才自在這隔壁房裏，一家一個，咽啅咽啅的吃了出去，就急得我口裏水泱。——怎麽得一個兒嘗新？我想你有些溜撒，去他那園子裏偷幾個來嘗嘗，如何？』行者道：『這個容易。老孫去，手到擒來。』急抽身，往前就走。八戒一把扯住道：『哥啊，我聽得他在這房裏説，要拿甚麽金擊子去打哩。須是幹得停當，不可走露風聲。』行者道：『我曉得，我曉得。』

那大聖使一個隱身法，閃進道房看時，原來那兩個道童，吃了果子，上殿與唐僧説話，不在房裏。行者四下裏觀看，看有甚麽金擊子，但祇見窗櫺上挂着一條赤金：有二尺長短，有指頭粗細；底下是一個蒜疙疸的頭子；上邊有眼，繫着一根緑絨繩兒。他道：『想必就是此物叫做金擊子。』他却取下來，出了道房，徑入後邊去，推開兩扇門，抬頭觀看，——呀！却是一座花園！但見：

朱欄寶檻，曲砌峰山。奇花與麗日争妍，翠竹共青天鬥碧。流杯亭外，一彎緑柳似拖煙；賞月臺前，數簇喬松如潑靛。紅拂拂，錦巢榴；緑依依，綉墩草。青茸茸，碧砂蘭；攸蕩蕩，臨溪水。丹桂映金井梧桐，錦槐傍朱欄玉砌。有或紅或白千葉桃，有或香或黄九秋菊。荼蘼架，映着牡丹亭；木槿臺，相連芍藥圃。看不盡傲霜君子竹，欺雪大夫松。更有那鶴莊鹿宅，方沼圓池；泉流碎玉，地萼堆金；朔風觸綻梅花白，春來點破海棠紅。——誠所謂人間第一仙景，西方魁首花叢。

那行者觀看不盡，又見一層門，推開看處，却是一座菜園：

佈種四時蔬菜，菠芹莙荙薑苔。笋藷瓜瓠茭白，葱蒜芫荽韭薤。窩蕖童蒿苦蕒，葫蘆茄子鬚栽。蔓菁蘿卜羊頭埋，紅莧青菘紫芥。

行者笑道：『他也是個自種自吃的道士。』走過菜園，又見一層門。推開看處，呀！祇見那正中間有根大樹，真個是青枝馥郁，緑葉陰森，那葉兒却似芭蕉模樣，直上去有千尺餘高，根下有七八丈圍圓。那行者倚在樹下，往上一看，祇見向南的枝上，露出一個人參果，真個像孩兒一般。原來尾間上是個扢蒂，看他丁在枝頭，手脚亂動，點頭幌腦，風過處似乎有聲。行者歡喜不盡，暗自誇稱道：『好東西呀！果然罕見！果然罕見！』他倚着樹，颼的一聲，攛將上去。

那猴子原來第一會爬樹偷果子。他把金擊子敲了一下，那果子撲的落將下來。他也隨跳下來跟尋，寂然不見；四下裏草中找尋，更無踪影。行者道：『蹺蹊！蹺蹊！想是有脚的會走；就走也跳不出墻去。我知道了，想是花園中土地不許老孫偷他果子，他收了去也。』他就捻着訣，念一口『唵』字咒，拘得那花園土地前來，對行者施禮道：『大聖，呼喚小神，有何吩咐？』行者道：『你不知老孫是蓋天下有名的賊頭。我當年偷蟠桃、盗御酒、竊靈丹，也不曾有人敢與我分用；怎麽今日偷他一個果子，你就抽了我的頭分去了！這果子是樹上結的，空中過鳥也該有分，老孫就吃他一個，有何大害？怎麽剛打下來，你就撈了去？』土地道：『大聖，錯怪了小神也。這寶貝乃是地仙之物，小神是個鬼仙，怎麽敢拿去？就是聞也無福聞聞。』行者道：『你既不曾拿去，如何打下來就不見了？』土地道：『大聖祇知這寶貝延壽，更不知他的出處哩。』

行者道：『有甚出處？』土地道：『這寶貝，三千年一開花，三千年一結果，再三千年方得成熟。短頭一萬年，祇結得三十個。有緣的，聞一聞，就活三百六十歲；吃一個，就活四萬七千年。却是祇與五行相畏。』行者道：『怎麼與五行相畏？』土地道：『這果子遇金而落，遇木而枯，遇水而化，遇火而焦，遇土而入。敲時必用金器，方得下來。打下來，却將盤兒用絲帕襯墊方可；若受些木器，就枯了，就吃也不得延壽。吃他須用磁器，清水化開食用，遇火即焦而無用。遇土而入者，大聖方纔打落地上，他即鑽下土去了。這個土有四萬七千年，就是鋼鑽鑽他也鑽不動些須，比生鐵也還硬三四分。人若吃了，所以長生。大聖不信時，可把這地下打打兒看。』行者即掣金箍棒，築了一下，響一聲，迸起棒來，土上更無痕跡。行者道：『果然！果然！我這棍，打石頭如粉碎，撞生鐵也有痕。怎麼這一下打不傷些兒？這等說，我却錯怪了你了，你回去罷。』那土地即回本廟去訖。

大聖却有算計：爬上樹，一隻手使擊子，一隻手將錦布直裰的襟兒扯起來做個兜子等住，他却串枝分葉，敲了三個果，兜在襟中。跳下樹，一直前來，徑到厨房裏去。那八戒笑道：『哥哥，可有麼？』行者道：『這不是？老孫的手到擒來。這個果子，也莫背了沙僧，可叫他一聲。』八戒即招手叫道：『悟净，你來。』那沙僧搬下行李，跑進厨房道：『哥哥，叫我怎的？』行者放開衣兜道：『兄弟，你看這個是甚的東西？』沙僧見了道：『是人參果。』行者道：『好啊！你倒認得。你曾在那裏吃過的？』沙僧道：『小弟雖不曾吃，但舊時做卷簾大將，扶侍鸞輿赴蟠桃宴，嘗見海外諸仙將此果與王母上壽。見便曾見，却未曾吃。哥哥，可與我些兒嘗嘗？』行者道：『不消講，兄弟們一家一個。』

他三人將三個果各各受用。那八戒食腸大，口又大，一則是聽見童子吃時，便覺饞蟲拱動，却纔見了果子，拿過來，張開口，轂轆的囫圇舌咽下肚，却白着眼胡賴，向行者、沙僧道：『你兩個吃的是甚麼？』沙僧道：『人參果。』八戒道：『甚麼味道？』行者道：『悟净，不要睬他！你倒先吃了，又來問誰？』八戒道：『哥哥，吃的忙了些，

不像你們細嚼細咽，嚐出些滋味。我也不知有核無核，就吞下去了。哥啊，爲人爲徹；已經調動我這饞蟲，再去弄個兒來，老豬細細的吃吃。」行者道：「兄弟，你好不知止足！這個東西，比不得那米食麵食，撞着盡飽。像這一萬年衹結得三十個，我們吃他這一個，也是大有緣法，不等小可。罷罷罷！够了！」他欠起身來，把一個金擊子，瞞窗眼兒，丢進他道房裏，竟不睬他。

那呆子衹管絮絮叨叨的唧噥，不期那兩個道童復進房來取茶去獻，衹聽得八戒還嚷甚麼「人參果吃得不快活，再得一個兒吃吃才好。」清風聽見，心疑道：「明月，你聽那長嘴和尚講「人參果還要個吃吃」。師父別時叮嚀，教防他手下人羅唣，莫敢是他偷了我們寶貝麼？」明月回頭道：「哥耶，不好了！不好了！金擊子如何落在地下！我們去園裏看看來！」他兩個急急忙忙的走去，衹見花園開了。清風道：「這門是我關的，如何開了？」又急轉過花園，衹見菜園門也開了。忙入人參園裏，倚在樹下，望上查數；顛倒來往，只得二十二個。明月道：「你可會算帳？」清風道：「我會，你説將來。」明月道：「果子原是三十個。師父開園，分吃了兩個，還有二十八個；適纔打兩個與唐僧吃，還有二十六個；如今止剩得二十二個，却不少了四個？不消講，定是那伙惡人偷了，我們衹罵唐僧去來。」

兩個出了園門，徑來殿上，指着唐僧，秃前秃後，穢語污言，不絶口的亂罵；賊頭鼠腦，臭短臊長，没好氣的胡嚷。唐僧聽不過道：「仙童啊，你鬧的是甚麼？消停些兒，有話慢説不妨，不要胡説散道的。」清風説：「你的耳聾？我是蠻話，你不省得？你偷吃了人參果，怎麼不容我説？」唐僧道：「人參果怎麼模樣？」明月道：「才拿來與你吃，你説像孩童的不是？」唐僧道：「阿彌陀佛！那東西一見，我就心驚膽戰，還敢偷他吃哩！就是害了饞痞，也不敢幹這賊事。不要錯怪了人。」清風道：「你雖不曾吃，還有手下人要偷吃的哩。」三藏道：「這等也説得是，你且莫嚷，等我問他們看。果若是偷了，教他賠你。」明月道：「賠呀！就有錢那裏去買！」三藏道：「縱有錢没

處買呵，常言道：「仁義值千金。」教他陪你個禮，便罷了。——也還不知是他不是他哩。」明月道：「怎的不是他？他那裏分不均，還在那裏嚷哩。」三藏叫聲「徒弟，且都來。」沙僧聽見道：「不好了！決撒了！老師父叫我們，小道童胡厮罵，不是舊話兒走了風，却是甚的！」行者道：「活羞殺人！這個不過是飲食之類！若説出來，就是我們偷嘴了，只是莫認。」八戒道：「正是，正是，昧了罷。」他三人只得出了厨房，走上殿去。

咦！畢竟不知怎麼與他抵賴，且聽下回分解。

總批：

一班趣人作伴，老和尚也不寂寞。何物文人，幻筆乃爾。

第二十五回　鎮元僊趕捉取經僧　孫行者大鬧五莊觀

却説他兄弟三衆，到了殿上，對師父道：『飯將熟了，叫我們怎的？』三藏道：『徒弟，不是問飯。他這觀裏，有甚麼人參果，似孩子一般的東西，你們是那一個偷他的吃了？』八戒道：『我老實。不曉得，不曾見。』清風道：『笑的就是他！笑的就是他！』行者喝道：『我老孫生的是這個笑容兒，莫成爲你不見了甚麼果子，就不容我笑？』三藏道：『徒弟息怒。我們是出家人，休打誑語，莫吃昧心食。果然吃了他的，陪他個禮罷。何苦這般抵賴？』行者見師父説得有理，他就實説道：『師父，不幹我事。是八戒隔壁聽見那兩個道童吃甚麼人參果，他想一個兒嚐新，着老孫去打了三個，我兄弟各人吃了一個。如今吃也吃了，待要怎麼？』明月道：『偷了我四個，這和尚還説不是賊哩！』八戒道：『阿彌陀佛！既是偷了四個，怎麼衹拿出三個來分，預先就打起一個偏手？』那呆子倒轉胡嚷。

二仙童問得是實，越加毀罵。就恨得個大聖鋼牙咬響，火眼睁圓，把條金箍棒揝了又揝，忍了又忍道：『這童子這樣可惡，衹説當面打人，也罷，受他些氣兒，等我送他一個絶後計，教他大家都吃不成！』好行者，把腦後的毫毛拔了一根，吹口仙氣，叫『變！』變做個假行者，跟定唐僧，陪着悟能、悟净，忍受着道童嚷罵；他的真身，出一個神，縱雲頭，跳將起去，徑到人參園裏，掣金箍棒往樹上乒乓一下，又使個推山移嶺的神力，把樹一推推倒。可憐葉落枒開根出土，道人斷絶草還丹！那大聖推倒樹，却在枝兒上尋果子，那裏得有半個。原來這寶貝遇金而落，他的棒刃頭却是金裹的，況鐵又是五金之類，所以敲着就振下來；既下來，又遇土而入，因此上邊再没一個果子。他道：『好！好！好！大家散火！』他收了鐵棒，徑往前來，把毫毛一抖，收上身來。那些人肉眼凡胎，看不明白。

却説那仙童罵够多時，清風道：『明月，這些和尚也受得氣哩，我們就像罵鷄一般，罵了這半會，通没個招聲。想必他不曾偷吃。倘或樹高葉密，數得不明，不要誑罵了他。我和你再去查查。』明月道：『也説得是。』他兩個果又到園中，衹見那樹倒枒開，果無葉落。唬得清風脚軟跌根頭，明月腰酥打骸垢。那兩個魂飛魄散。有詩爲證。詩曰：

三藏西臨萬壽山，悟空斷送草還丹。枒開葉落仙根露，明月清風心膽寒。

他兩個倒在塵埃，語言顛倒，衹叫『怎的好！怎的好！害了我五莊觀裏的丹頭，斷絶我仙家的苗裔！師父來家，我兩個怎的回話？』明月道：『師兄莫嚷。我們且整了衣冠，莫要驚張了這幾個和尚。這個没有别人，定是那個毛臉雷公嘴的那厮，他來出神弄法，壞了我們的寶貝。若是與他分説，那厮畢竟抵賴，定要與他相争，争起來，就要交手相打，你想我們兩個，怎麼敵得過他四個？且不如去哄他一哄，衹説果子不少，我們錯數了，轉與他陪個不是。他們的飯已熟了，等他吃飯時，再貼他些兒小菜。他一家拿着一個碗，你却站在門左，我却站在門右，撲的把門關倒，把鎖鎖住，將這幾層門都鎖了，不要放他。待師父來家，憑他怎的處置。他又是師父的故人，饒了他，也是師父的人情；不饒他，我們也拿住個賊在，庶幾可以免我等之罪。』清風聞言道：『有理！有理！』

他兩個强打精神，勉生歡喜，從後園中徑來殿上，對唐僧控背躬身道：『師父，適間言語粗俗，多有衝撞，莫怪，莫怪。』三藏問道：『怎麼説？』清風道：『果子不少，衹因樹高葉密，不曾看得明白；才然又去查查，還是原數。』那八戒就趁脚兒蹺道：『你這個童兒，年幼不知事體，就來亂罵，白口咀咒，枉賴了我們也！不當人子！』行者心上明白，口裏不言，心中暗想道：『是謊！是謊！果子已了了帳，怎的説這般話？……想必有起死回生之法……』三藏道：『既如此，盛將飯來，我們吃了去罷。』

那八戒便去盛飯，沙僧安放桌椅。二童忙取小菜，却是些醬瓜、醬茄、糟蘿蔔、醋豆角、腌窩蕖、綽芥菜，共排了七八碟兒，與師徒們吃飯；又提一壺好茶，兩個茶鐘，伺候左右。那師徒四衆，却纔拿起碗來，這童兒一

邊一個，揆的把門關上，插上一把兩鑚銅鎖。八戒笑道：『這童子差了。你這裏風俗不好，却怎的關了門裏吃飯？』明月道：『正是，正是，好歹吃了飯兒開門。』清風罵道：『我把你這個害饞勞、偷嘴的禿賊！你偷吃了我的仙果，已該一個擅食田園瓜果之罪，却又把我的仙樹推倒，壞了我五莊觀裏仙根，你還要説嘴哩！——若能够到得西方參佛面，祇除是轉背搖車再託生！』三藏聞言，丢下飯碗，把個石頭放在心上。那童子將那前山門、二山門，通都上了鎖。却又來正殿門首，惡語惡言，賊前賊後，祇罵到天色將晚，才去吃飯。飯畢，歸房去了。

唐僧埋怨行者道：『你這個猴頭，番番撞禍！你偷吃了他的果子，就受他些氣兒，讓他罵幾句便也罷了；怎麼又推倒他的樹！若論這般情由，告起狀來，就是你老子做官，也説不通。』行者道：『師父莫鬧。那童兒都睡去了，祇等他睡着了，我們連夜起身。』沙僧道：『哥啊，幾層門都上了鎖，閉得甚緊，如何走麼！』行者笑道：『莫管！莫管！老孫自有法兒。』八戒道：『愁你没有法兒哩！你一變，個甚麼蟲蛭兒，瞞格子眼裏就飛將出去，祇苦了我們不會變的，便在此頂缸受罪哩！』唐僧道：『他若幹出這個勾當，不同你我出去啊，我就念起舊話經兒，他却怎生消受！』八戒聞言，又愁又笑道：『師父，你説的那裏話？我祇聽得佛教中有卷《楞嚴經》、《法華經》、《孔雀經》、《觀音經》、《金剛經》，不曾聽見個甚那「舊話兒經」啊。』行者道：『兄弟，你不知道。我頂上戴的這個箍兒，是觀音菩薩賜與我師父的，師父哄我戴了，就如生根的一般，莫想拿得下來；——叫做《緊箍兒咒》，又叫做《緊箍兒經》。他「舊話兒經」，即此是也。但若念動，我就頭疼，故有這個法兒難我。師父，你莫念，我決不負你，管情大家一齊出去。』

説話後，都已天昏，不覺東方月上。行者道：『此時萬籟無聲，冰輪明顯，正好走了去罷。』八戒道：『哥啊，不要搗鬼。門俱鎖閉，往那裏走？』行者道：『你看手段！』把金箍棒捻在手中，使一個「解鎖法」，往門上一指，祇聽得突蹡的一聲響，幾層門雙鑚俱落，唿喇的開了門扇。八戒笑道：『好本事！就是叫小爐兒匠使掭子，便也

不像這等爽利！』行者道：『這個門兒，有甚稀罕！就是南天門，指一指也開了。』却請師父出了門，上了馬，八戒挑着擔，沙僧攏着馬，徑投西路而去。行者道：『你們且慢行。等老孫去照顧那兩個童兒睡一個月。』三藏道：『徒弟，不可傷他性命，不然，又一個得財傷人的罪了。』行者道：『我曉得。』行者復進去，來到那童兒睡的房門外。他腰裏有帶的瞌睡蟲兒，原來在東天門與增長天王猜枚要子贏的。他摸出兩個來，瞞窗眼兒彈將進去，徑奔到那童子臉上，鼾鼾沉睡，再莫想得醒。他才拽開雲步，趕上唐僧，順大路一直西奔。

這一夜馬不停蹄，祇行到天曉。三藏道：『這個猴頭弄殺我也！你因爲嘴，帶累我一夜無眠！』行者道：『不要祇管埋怨。天色明了，你且在這路旁邊樹林中將就歇歇，養養精神再走。』那長老只得下馬，倚松根權作禪床坐下。沙僧歇了擔子打盹。八戒枕着石睡覺。孫大聖偏有心腸，你看他跳樹扳枝頑要。四衆歇息不題。

却説那大仙自元始宫散會，領衆小仙出離兜率，徑下瑶天，墜祥雲，早來到萬壽山五莊觀門首。看時，祇見觀門大開，地上乾净。大仙道：『清風、明月，却也中用。常時節，日高三丈，腰也不伸；今日我們不在，他倒肯起早，開門掃地。』衆小仙俱悦。行至殿上，香火全無，人踪俱寂，那裏有明月、清風！衆仙道：『他兩個想是因我們不在，拐了東西走了。』大仙道：『豈有此理！修仙的人，敢有這般壞心的事！想是昨晚忘却關門，就去睡了，今早還未醒哩。』衆仙到他房門首看處，真個關着房門，鼾鼾沉睡；這外邊打門亂叫，那裏叫得醒來。衆仙撬開門板，着手扯下床來，也只是不醒。大仙笑道：『好仙童啊！成仙的人，神滿再不思睡，却怎麼這般睏倦？莫不是有人做弄了他也？快取水來。』一童急取水半盞遞與大仙。大仙念動咒語，噀一口水，噴在臉上，隨即解了睡魔。

二人方醒，忽睜睛，抹抹臉，抬頭觀看，認得是仙師與世同君和仙兄弟等衆，慌得那清風頓首，明月叩頭道：『師父啊！你的故人，原是「東來的和尚——一伙强盗」，十分兇狠！』大仙笑道：『莫驚恐，慢慢的説來。』

清風道：『師父啊，當日别後不久，果有個東土唐僧，一行有四個和尚，連馬五口。弟子不敢違了師命，問及來因，

將人參果取了兩個奉上。那長老俗眼愚心，不識我們仙家的寶貝。他説是三朝未滿的孩童，再三不吃，是弟子各吃了一個。不期他那手下有三個徒弟，有一個姓孫的，名悟空行者，先偷四個果子吃了。是弟子們向伊理説，實實的言語了幾句，他却不容，暗自裏弄了個出神的手段——苦啊！』二童子説到此處，止不住腮邊泪落。衆仙道：『那和尚打你來？』明月道：『不曾打，只是把我們人參樹打倒了。』大仙聞言，更不惱怒。道：『莫哭！莫哭！你不知那姓孫的，也是個太乙散仙，也曾大鬧天宫，神通廣大。既然打倒了寶樹，你可認得那些和尚？』清風道：『都認得。』大仙道：『既認得，都跟我來。衆徒弟們，都收拾下刑具，等我回來打他。』衆仙領命。

大仙與明月、清風縱起祥光，來趕三藏。頃刻間就有千里之遥。大仙在雲端裏向西觀看，不見唐僧；及轉頭向東看時，倒多趕了九百餘裏。原來那長老一夜馬不停蹄，祇行了一百二十里路；大仙的雲頭一縱，趕過了九百餘裏。仙童道：『師父，那路旁樹下坐的是唐僧。』大仙道：『我已見了。你兩個回去安排下繩索，等我自家拿他。』清風先回不題。

那大仙按落雲頭，摇身一變，變作個行脚全真。你道他怎生打扮：

穿一領百衲袍，繫一條吕公縧。手摇麈尾，漁鼓輕敲。三耳草鞋登脚下，九陽巾子把頭包。飄飄風滿袖，口唱月兒高。

徑直來到樹下，對唐僧高叫道：『長老，貧道起手了。』那長老忙忙答禮道：『失瞻！失瞻！』大仙問：『長老是那方來的？爲何在途中打坐？』三藏道：『貧僧乃東土大唐差往西天取經者。路過此間，權爲一歇。』大仙佯訝道：『長老東來，可曾在荒山經過？』長老道：『不知仙官是何寶山？』大仙道：『萬壽山五莊觀，便是貧道栖止處。』行者聞言，他心中有物的人，忙答道：『不曾！不曾！我們是打上路來的。』那大仙指定笑道：『我把你這個潑猴！你瞞誰哩？你倒在我觀裏，把我人參果樹打倒，你連夜走在此間，還不招認，遮飾甚麽！不要走！趁早去還我樹來！』那行者聞言，心中惱怒，掣鐵棒不容分説，望大仙劈頭就打。大仙側身躲過，踏祥光，徑到空中。行者也騰雲，急趕上去。

大仙在半空現了本相，你看他怎生打扮：

頭戴紫金冠，無憂鶴氅穿。履鞋登足下，絲帶束腰間。體如童子貌，面似美人顔。三鬚飄領下，鴉翎叠鬢邊。相迎行者無兵器，止將玉麈手中拈。

那行者没高没低的，棍子亂打。大仙把玉麈左遮右擋，奈了他兩三回合，使一個『袖裏乾坤』的手段，在雲端裏，把袍袖迎風輕輕的一展，刷地前來，把四僧連馬一袖子籠住。八戒道：『不好了！我們都裝在褡褳裏了！』行者道：『呆子，不是褡褳，我們被他籠在衣袖中哩。』八戒道：『這個不打緊，等我一頓釘鈀，築他個窟窿，脱將下去，祇説他不小心，籠不牢，吊的了罷！』那呆子使鈀亂築，那裏築得動：手捻着雖然是個軟的，築起來就比鐵還硬。

那大仙轉祥雲，徑落五莊觀坐下，叫徒弟拿繩來。衆小仙一一伺候。你看他從袖子裏，却像撮傀儡一般，把唐僧拿出，縛在正殿檐柱上；又拿出他三個，每一根柱上，綁了一個；將馬也拿出拴在庭下，與他些草料；行李抛在廊下。又道：『徒弟，這和尚是出家人，不可用刀槍，不可加鈇鉞，且與我取出皮鞭來，打他一頓，與我人參果出氣！』衆仙即忙取出一條鞭，——不是甚麽牛皮、羊皮、麂皮、犢皮的，原來是龍皮做的七星鞭，着水浸在那裏。令一個有力量的小仙，把鞭執定道：『師父，先打那個？』大仙道：『唐三藏做大不尊，先打他。』

行者聞言，心中暗道：『我那老和尚不禁打，假若一頓鞭打壞了啊，却不是我造的孽？』他忍不住，開言道：『先生差了。偷果子是我，吃果子是我，推倒樹也是我，怎麽不先打我，打他做甚？』大仙笑道：『這潑猴倒言語膂烈。這等便先打他。』小仙問：『打多少？』大仙道：『照依果數，打三十鞭。』那小仙輪鞭就打。行者恐仙家法大，睁圓眼瞅定，看他打那裏。原來打腿。行者就把腰扭一扭，叫聲『變！』變作兩條熟鐵腿，看他怎麽打。那小仙

一下一下的，打了三十，天早向午了。

大仙又吩咐道：『還該打三藏訓教不嚴，縱放頑徒撒潑。』那仙又輪鞭來打。行者道：『先生又差了。偷果子時，我師父不知，他在殿上與你二童講話，是我兄弟們做的勾當。縱是有教訓不嚴之罪，我爲弟子的，也當替打。再打我罷。』大仙笑道：『這潑猴，雖是狡猾奸頑，却倒也有些孝意。既這等，還打他罷。』小仙又打了三十。行者低頭看看，兩隻腿似明鏡一般，通打亮了，更不知些疼癢。此時天色將晚。大仙道：『且把鞭子浸在水裏，待明朝再拷打他。』小仙且收鞭去浸，各各歸房。晚齋已畢，盡皆安寢不題。

那長老淚眼雙垂，怨他三個徒弟道：『你等闖出禍來，却帶累我在此受罪，這是怎的起？』行者道：『且休報怨，打便先打我。你又不曾吃打，倒轉嗟呀怎的？』唐僧道：『雖然不曾打，却也綁得身上疼哩。』沙僧道：『師父，還有陪綁的在這裏哩。』行者道：『都莫要嚷，再停會兒走路。』八戒道：『哥哥又弄虛頭了。這裏麻繩噴水，緊緊的綁着，還比關在殿上，被你使解鎖法撥開門走哩！』行者道：『不是誇口説，那怕他三股的麻繩噴上了水，——就是碗粗的棕纜，也只好當秋風！』

正話處，早已萬籟無聲，正是天街人静。好行者，把身子小一小，脱下索來道：『師父去啞！』沙僧慌了道：『哥哥，也救我們一救！』行者道：『悄言！悄言！』他却解了三藏，放下八戒、沙僧，整束了偏衫，扣背了馬匹，廊下拿了行李，一齊出了觀門。又教八戒：『你去把那崖邊柳樹伐四棵來。』八戒道：『要他怎的？』行者道：『有用處。快快取來！』

那呆子有些夯力，走了去，一嘴一棵，就拱了四棵，一抱抱來。行者將枝梢折了，教兄弟二人復進去，將原繩照舊綁在柱上。那大聖念動咒語，咬破舌尖，將血噴在樹上，叫『變！』一根變作長老，一根變作自身，那兩根變作沙僧、八戒，都變得容貌一般，相貌皆同，問他也就説話，叫名也就答應。他兩個却纔放開步，趕上師父。

這一夜依舊馬不停蹄，躲離了五莊觀。

祇走到天明，那長老在馬上搖樁打盹。行者見了，叫道：『師父不濟！出家人怎的這般辛苦？我老孫千夜不眠，也不曉得睏倦。且下馬來，莫教走路的人，看見笑你。權在山坡下藏風聚氣處，歇歇再走。』

不說他師徒在路暫住。且說那大仙，天明起來，吃了早齋，出在殿上。教拿鞭來：『今日卻該打唐三藏了。』那小仙輪着鞭，望唐僧道：『打你哩。』那柳樹也應道：『打麼。』乒乓打了三十。輪過鞭來，對八戒道：『打你哩。』那柳樹也應道：『打麼。』及打沙僧，也應道：『打麼。』及打到行者，那行者在路，偶然打個寒噤道：『不好了！』三藏問道：『怎麼說？』行者道：『我將四棵柳樹變作我師徒四衆，我祇說他昨日打了我兩頓，今日想不打了；卻又打我的化身，所以我真身打噤。收了法罷。』那行者慌忙念咒收法。

你看那些道童害怕，丟了皮鞭，報道：『師父啊，爲頭打的是大唐和尚，這一會打的都是柳樹之根！』大仙聞言，呵呵冷笑，誇不盡道：『孫行者，真是一個好猴王！曾聞他大鬧天宮，佈地網天羅，拿他不住，果有此理。——你走了便也罷，卻怎麼綁些柳樹在此，冒名頂替？決莫饒他！趕去來！』

那大仙說聲趕，縱起雲頭，往西一望，祇見那和尚挑包策馬，正然走路。大仙低落雲頭，叫聲『孫行者！往那裏走！還我人參樹來！』八戒聽見道：『罷了！對頭又來了！』行者道：『師父，且把善字兒包起，讓我們使些兇惡，一發結果了他，脫身去罷。』唐僧聞言，戰戰兢兢，未曾答應，沙僧掣寶杖，八戒舉釘鈀，大聖使鐵棒，一齊上前，把大仙圍住在空中，亂打亂築。這場惡鬥，有詩爲證：

悟空不識鎮元仙，與世同君妙更玄。三件神兵施猛烈，一根麈尾自飄然。左遮右擋隨來往，後架前迎任轉旋。夜去朝來難脫體，淹留何日到西天！

他兄弟三衆，各舉神兵，一齊攻打，那大仙祇把蠅帚兒演架。那裏有半個時辰，他將袍袖一展，依然將四僧一馬併行李，一袖籠去。返雲頭，又到觀裏。衆仙接着，仙師坐于殿上。卻又在袖兒裏一個個搬出，將唐僧綁在階下矮槐樹上；八戒、沙僧各綁在兩邊樹上；將行者捆倒，行者道：『想是調問哩。』不一時，捆綁停當，教把長頭布取十疋來。行者笑道：『八戒！這先生好意思，拿出布來與我們做中袖哩！——減省些兒，做個一口中罷了。』那小仙將家機布搬將出來。大仙道：『把唐三藏、猪八戒、沙和尚都使布裹了！』衆仙一齊上前裹了。行者笑道：『好！好！好！夾活兒就大殮了！』須臾，纏裹已畢。又教拿出漆來。衆仙即忙取了些自收自曬的生熟漆，把他三個渾身布裹漆漆了，上留着頭臉在外。八戒道：『先生，上頭倒不打緊，只是下面還留孔兒，我們好出恭。』那大仙又教把大鍋抬出來。行者笑道：『八戒，造化！抬出鍋來，想是煮飯我們吃哩。』八戒道：『也罷了；讓我們吃些飯兒，做個飽死的鬼也好看。』衆仙果抬出一口大鍋支在階下。大仙叫架起乾柴，發起烈火，教：『把清油拗上一鍋，燒得滾了，將孫行者下油鍋紮他一紮，與我人參樹報仇！』

行者聞言，暗喜道：『正可老孫之意。這一向不曾洗澡，有些兒皮膚燥癢，好歹蕩蕩，足感盛情。』頃刻間，那油鍋將滾。大聖卻又留心：恐他仙法難參，油鍋裏難做手脚，急回頭四顧，祇見那臺下東邊是一座日規臺，西邊是一個石獅子。行者將身一縱，滾到西邊，咬破舌尖，把石獅子噴了一口，叫聲『變』！變作他本身模樣，也這般捆作一團；他卻出了元神，起在雲端裏，低頭看着道士。

祇見那小仙報道：『師父，油鍋滾透了。』大仙教『把孫行者抬下去！』四個仙童抬不動；八個來，也抬不動；又加四個，也抬不動。衆仙道：『這猴子戀土難移，小自小，倒也結實。』卻教二十個小仙，扛將起來，往鍋裏一摜，烹的響了一聲，濺起些滾油點子，把那小道士們臉上燙了幾個燎漿大泡！祇聽得燒火的小童喊道：『鍋漏了！鍋漏了！』說不了，油漏得罄盡，鍋底打破。原來是一個石獅子放在裏面。

大仙大怒道：『這個潑猴，着然無禮！教他當面做了手脚！你走了便罷，怎麼又搗了我的竈？這潑猴枉自也

拿他不住，就拿住他，也似摶砂弄汞，捉影捕風。——罷！罷！罷！饒他去罷。且將唐三藏解下，另換新鍋，把他紮一紮，與人參樹報報仇罷。」那小仙真個動手，拆解布漆。

行者在半空裏聽得明白。他想着：「師父不濟：他若到了油鍋裏，一滾就死，二滾就焦，到三五滾，他就弄做個稀爛的和尚了！我還去救他一救。」

好大聖，按落雲頭，上前叉手道：「莫要拆壞了布漆，我來下油鍋了。」那大仙驚罵道：「我把你這猢猻！怎麽弄手段搗了我的竈？」行者笑道：「你遇着我就該倒竈，幹我甚事？我纔自也要領你些油湯油水之愛，但只是大小便急了，若在鍋裏開風，恐怕污了你的熟油，不好調菜吃；如今大小便通乾淨了，才好下鍋。不要紮我師父，還來扎我。」那大仙聞言，呵呵冷笑，走出殿來，一把扯住。

畢竟不知有何話說，端的怎麽脱身，且聽下回分解。

總批：

遊戲處是仙人扇，下針處是仙人面，請問讀《西遊記》者，是看面，還是看扇？

第二十六回　孫悟空三島求方　觀世音甘泉活樹

詩曰：

處世須存心上刃，修身切記寸邊而。常言刃字爲生意，但要三思戒怒欺。上士無爭傳亘古，聖人懷德繼當時。剛强更有剛强輩，究竟終成空與非。

却説那鎮元大仙用手攙着行者道：「我也知道你的本事，我也聞得你的英名，只是你今番越理欺心，縱有騰那，脱不得我手。我就和你講到西天，見了你那佛祖，也少不得還我人參果樹。你莫弄神通。」行者笑道：「你這先生，好小家子樣！若要樹活，有甚疑難！早説這話，可不省了一場爭競？」大仙道：「不爭競，我肯善自饒你！」行者道：「你解了我師父，我還你一棵活樹如何？」大仙道：「你若有此神通，醫得樹活，我與你八拜爲交，結爲兄弟。」行者道：「不打緊。放了他們，老孫管教還你活樹。」

大仙諒他走不脱，即命解放了三藏、八戒、沙僧。沙僧道：「師父啊，不知師兄搗得是甚麽鬼哩。」八戒道：「甚麽鬼！這叫做『當面人情鬼』！樹死了，又可醫得活！他弄個光皮散兒好看，哄着求醫治樹，單單了脱身走路，還顧得你和我哩！」三藏道：「他決不敢撒了我們。我們問他那裏求醫去。」遂叫道：「悟空，你怎麽哄了仙長，解放我等？」行者道：「老孫是真言實語，怎麽哄他？」三藏道：「你往何處去求方？」行者道：「古人云：『方從海上來。』我今要上東洋大海，遍遊三島十洲，訪問仙翁聖老，求一個起死回生之法，管教醫得他樹活。」三藏道：「此去幾時可回？」行者道：「衹消三日。」三藏道：「既如此，就依你説，與你三日之限。三日裏來便罷；若三日之外不來，我就念那話兒經了。」行者道：「遵命，遵命。」

你看他急整虎皮裙，出門來對大仙道：「先生放心，我就去就來。你却要好生伏侍我師父，逐日家三茶六飯，不可欠缺。若少了些兒，老孫回來和你算帳，先搗塌你的鍋底。衣服禳了，與他漿洗漿洗。臉兒黃了些兒，我不要；

若瘦了些兒，不出門。』那大仙道：『你去，你去，定不教他忍餓。』

好猴王，急縱筋斗雲，別了五莊觀，徑上東洋大海。在半空中，快如掣電，疾如流星，早到蓬萊仙境。按雲頭，往下仔細觀看。真個好去處！有詩爲證。詩曰：

大地仙鄉列聖曹，蓬萊分合鎮波濤。瑶臺影蘸天心冷，巨闕光浮海面高。五色煙霞含玉籟，九霄星月射金鰲。西池王母常來此，奉祝三仙幾次桃。

那行者看不盡仙景，徑入蓬萊。正然走處，見白雲洞外，松陰之下，有三個老兒圍棋：觀局者是壽星，對局者是福星、禄星。行者上前叫道：『老弟們，作揖了。』那三星見了，拂退棋枰，回禮道：『大聖何來？』行者道：『特來尋你們耍子。』壽星道：『我聞大聖弃道從釋，脱性命保護唐僧往西天取經，遂日奔波山路，那些兒得閑，却來耍子？』行者道：『實不瞞列位説，老孫因往西方，行在半路，有些兒阻滯，特來小事欲幹，不知肯否？』福星道：『是甚地方？因何阻滯？乞爲明示，吾好裁處。』行者道：『因路過萬壽山五莊觀有阻。』三老驚訝道：『五莊觀是鎮元大仙的仙宫。你莫不是把他人參果偷吃了？』行者笑道：『偷吃了能值甚麽？』三老道：『你這猴子，不知好歹。那果子聞一聞，活三百六十歲；吃一個，活四萬七千年；叫做「萬壽草還丹」。我們的道，不及他多矣！他得之甚易，就可與天齊壽；我們還要養精、煉氣、存神，調和龍虎，捉坎填離，不知費多少工夫。你怎麽説他的能值甚緊？天下祇有此種靈根！』行者道：『靈根！靈根！我已弄了他個斷根哩！』三老驚道：『怎的斷根？』行者道：『我們前日在他觀裏，那大仙不在家，祇有兩個小童，接待了我師父，却將兩個人參果奉與我師。我師不認得，祇説是三朝未滿的孩童，再三不吃。那童子就拿去吃了，不曾讓得我們。是老孫就去偷了他三個，我兄弟三人吃了。那童子不知高低，賊前賊後的罵個不住。是老孫惱了，把他樹打了一根，推倒在地，樹上果子全無，丫開葉落，根出枝傷，已枯死了。不想那童子關住我們，又被老孫扭開鎖走了。次日清辰，那先生回家趕來，問答間，語言

不和，遂與他賭鬥，被他閃一閃，把袍袖展開，一袖子都籠去了。繩纏索綁，拷問鞭敲，就打了一日。是夜又逃了，他又趕上，依舊籠去。他身無寸鐵，只是把個麈尾遮架。我兄弟這等三般兵器，莫想打得着他。這一番仍舊擺佈，將布裹漆了我師父與兩師弟，却將我下油鍋。我又做了個脱身本事走了，把他鍋都打破。他見拿我不住，盡有幾分醋我。是我又與他好講，教他放了我師父、師弟，我與他醫樹管活，兩家才得安寧。我想着「方從海上來」，故此特遊仙境，訪三位老弟。有甚醫樹的方兒，傳我一個，急救唐僧脱苦。」

三星聞言，心中也悶道：『你這猴兒，全不識人。那鎮元子乃地仙之祖；我等乃神仙之宗；你雖得了天仙，還是太乙散數，未入真流，你怎麼脱得他手？若是大聖打殺了走獸飛禽，蜾蟲鱗長，祇用我黍米之丹，可以救活；那人參果乃仙木之根，如何醫治？沒方，沒方。』那行者見説無方，却就眉峰雙鎖，額蹙千痕。

福星道：『大聖，此處無方，他處或有，怎麼就生煩惱？』行者道：『無方別訪，果然容易；就是遊遍海角天涯，轉透三十六天，亦是小可；只是我那唐長老法嚴量窄，止與了我三日期限。三日以外不到，他就要念那《緊箍兒咒》哩。』三星笑道：『好！好！好！若不是這個法兒拘束你，你又鑽天了。』壽星道：『大聖放心，不須煩惱。那大仙雖稱上輩，却也與我等有識。一則久別，不曾拜望；二來是大聖的人情：如今我三人同去望他一望，就與你道達此情，教那唐和尚莫念《緊箍兒咒》，休説三日五日，祇等你求得方來，我們才別。』行者道：『感激！感激！就請三位老弟行行，我去也。』大聖辭別三星不題。

却説這三星駕起祥光，即往五莊觀而來。那觀中合衆人等，忽聽得長天鶴唳，原來是三老光臨。但見那：

盈空藹藹祥光簇，霄漢紛紛香馥鬱。彩霧千條護羽衣，輕雲一朵擎仙足。青鸞飛，丹鳳翩，袖引香風滿地撲。拄杖懸龍喜笑生，皓髯垂玉胸前拂。童顏歡悦更無憂，壯體雄威多有福。執星籌，添海屋，腰挂葫蘆併寶籙。萬紀千旬福壽長，十洲三島隨緣宿。常來世上送千祥，每向人間增百福。概乾坤，榮福禄，福壽無疆今喜得。三老乘祥謁大仙，福堂和氣皆無極。

那仙童看見，即忙報道：『師父，海上三星來了。』鎮元子正與唐僧師弟閑叙，聞報，即降階奉迎。那八戒見了壽星，近前扯住，笑道：『你這肉頭老兒，許久不見，還是這般脱灑，帽兒也不帶個來。』遂把自家一個僧帽，撲的套在他頭上，撲着手呵呵大笑道：『好！好！好！真是「加冠進禄」也！』那壽星將帽子摜了，罵道：『你這個夯貨，老大不知高低！』八戒道：『我不是夯貨，你等真是奴才！』福星道：『你倒是個夯貨，反敢罵人是奴才！』八戒又笑道：『既不是人家奴才，來道叫做「添壽」、「添福」、「添禄」？』

那三藏喝退了八戒，急整衣拜了三星。那三星以晚輩之禮見了大仙，方纔叙坐。坐定，禄星道：『我們一向久闊尊顏，有失恭敬。今因孫大聖攪擾仙山，特來相見。』大仙道：『孫行者到蓬萊去的？』壽星道：『是，因爲傷了大仙的丹樹，他來我處求方醫治。我輩無方，他又到別處求訪；但恐違了聖僧三日之限，要念《緊箍兒咒》。我輩一來奉拜，二來討個寬限。』三藏聞言，連聲應道：『不敢念，不敢念。』

正説處，八戒又跑進來，扯住福星，要討果子吃。他去袖裏亂摸，腰裏亂挖，不住的揭他衣服搜檢。三藏笑道：『那八戒是甚麼規矩！』八戒道：『不是没規矩，此叫做「番番是福」。』三藏又叱令出去。那呆子躧出門，瞅着福星，眼不轉睛的發狠。福星道：『夯貨！我那裏惱了你來，你這等恨我？』八戒道：『不是恨你，這叫「回頭望福」。』那呆子出得門來，祇見一個小童，拿了四把茶匙，方去尋鐘取果看茶；被他一把奪過，跑上殿，拿着小磬兒，用手亂敲亂打，兩頭玩耍。大仙道：『這個和尚，越發不尊重了！』八戒笑道：『不是不尊重，這叫做「四時吉慶」。』

且不説八戒打諢亂纏。却表行者縱祥雲離了蓬萊，又早到方丈仙山。這山真好去處。有詩爲證。詩曰：

方丈巍峨别是天，太元宫府會神仙。紫臺光照三清路，花木香浮五色煙。金鳳自多槃蕊闕，玉膏誰逼灌芝田？碧桃紫李新成熟，又換仙人信萬年。

那行者按落雲頭，無心玩景。正走處，衹聞得香風馥馥，玄鶴聲鳴，那壁厢有個神仙。但見：

盈空萬道霞光現，彩霧飄飖光不斷。丹鳳啣花也更鮮，青鸞飛舞聲嬌艷。福如東海壽如山，貌似小童身體健。壺隱洞天不老丹，腰懸與日長生篆。人間數次降禎祥，世上幾番消厄願。武帝曾宣加壽齡，瑶池每赴蟠桃宴。教化衆僧脱俗緣，指開大道明如電。也曾跨海祝千秋，常去靈山參佛面。聖號東華大帝君，煙霞第一神仙眷。

孫行者覿面相迎，叫聲『帝君，起手了。』那帝君慌忙回禮道：『大聖，失迎。請荒居奉茶。』遂與行者攙手而入。果然是貝闕仙宮，看不盡瑶池瓊閣。方坐待茶，衹見翠屏後轉出一個童兒。他怎生打扮：

身穿道服飄霞爍，腰束絲縧光錯落。頭戴綸巾佈斗星，足登芒履遊仙嶽。煉元真，脱本殼，功行成時遂意樂。識破原流精氣神，主人認得無虚錯。逃名今喜壽無疆，甲子週天管不着。轉回廊，登寶閣，天上蟠桃三度摸。縹緲香雲出翠屏，小仙乃是東方朔。

行者見了，笑道：『這個小賊在這裏啊！帝君處没有桃子你偷吃！』東方朔朝上進禮，答道：『老賊，你來這裏怎的？我師父没有仙丹你偷吃。』帝君叫道：『曼倩休亂言，看茶來也。』

曼倩原是東方朔的道名。他急入裏取茶二杯，飲訖。行者道：『老孫此來，有一事奉幹，未知允否？』帝君道：『何事？自當領教。』行者道：『近因保唐僧西行，路過萬壽山五莊觀，因他那小童無狀，是我一時發怒，把他人參果樹推倒，一時阻滯，唐僧不得脱身，特來尊處求賜一方醫治，萬望慨然。』

帝君道：『你這猴子，不管一二，到處裏闖禍。那五莊觀鎮元子，聖號與世同君，乃地仙之祖。你怎麽就衝撞出他？他那人參果樹，乃草還丹。你偷吃了，尚説有罪；却又連樹推倒，他肯幹休？』行者道：『正是呢。我們走脱了，被他趕上，把我們就當汗巾兒一般，一袖子都籠去了；所以閣氣。没奈何，許他求方醫治，故此拜求。』帝君道：『我有一粒「九轉太乙還丹」，但能治世間生靈，却不能醫樹。樹乃土木之靈，天滋地潤。若是凡間的果木，醫治還可；這萬壽山乃先天福地，五莊觀乃賀洲洞天，人參果又是天開地闢之靈根，如何可治！無方！無方！』

行者道：『既然無方，老孫告别。』帝君仍欲留奉玉液一杯，行者道：『急救事緊，不敢久滯。』遂駕雲復至瀛洲海島。也好去處。有詩爲證。詩曰：

珠樹玲瓏照紫煙，瀛洲宫闕接諸天。青山緑水琪花艷，玉液錕鋘鐵石堅。五色碧鷄啼海日，千年丹鳳吸朱煙。世人罔究壺中景，象外春光億萬年。

那大聖至瀛洲，衹見那丹崖珠樹之下，有幾個皓髮皤髯之輩，童顔鶴鬢之仙，在那裏着棋飲酒，談笑謳歌。真個是：

祥雲光滿，瑞靄香浮。彩鸞鳴洞口，玄鶴舞山頭。碧藕水桃爲按酒，交梨火棗壽千秋。一個個丹詔無聞，仙符有籍；逍遥隨浪蕩，散淡任清幽。週天甲子難拘管，大地乾坤衹自由。獻果玄猿，對對參隨多美愛；銜花白鹿，雙雙拱伏甚綢繆。

那些老兒，正然灑樂。這行者厲聲高叫道：『帶我耍耍兒便怎的！』衆仙見了，急忙趨步相迎。有詩爲證。詩曰：

人參果樹靈根折，大聖訪仙求妙訣。繚繞丹霞出寶林，瀛洲九老來相接。

行者認得是九老，笑道：『老兄弟們自在哩！』九老道：『大聖當年若存正，不鬧天宫，比我們還自在哩。如今好了，聞你歸真向西拜佛，如何得暇至此？』行者將那醫樹求方之事，具陳了一遍。九老也大驚道：『你也忒惹禍！惹禍！我等實是無方。』行者道：『既是無方，我且奉别。』

九老又留他飲瓊漿，食碧藕。行者定不肯坐，止立飲了他一杯漿，吃了一塊藕，急急離了瀛洲，徑轉東洋大海。早望見落伽山不遠，遂落下雲頭，直到普陀岩上。見觀音菩薩在紫竹林中與諸天大神、木叉、龍女，講經説法。有詩爲證。詩曰：

海主城高瑞氣濃，更觀奇异事無窮。須知隱約千般外，盡出希徽一品中。四聖授時成正果，六凡聽後脱樊籠。
少林别有真滋味，花果馨香滿樹紅。

那菩薩早已看見行者來到，即命守山大神去迎。那大神出林來，叫聲「孫悟空，那裏去？」行者抬頭喝道：「你這個熊羆！悟空可是你叫的！當初不是老孫饒了你，你已此做了黑風山的屍鬼矣。今日跟了菩薩，受了善果，居此仙山，常聽法教，你叫不得我一聲『老爺』？」那黑熊真個得了正果，在菩薩處鎮守普陀，稱爲大神，是也虧了行者。他只得陪笑道：「大聖，古人云：『君子不念舊惡。』祇管題他怎的！菩薩着我來迎你哩。」這行者就端肅尊誠，與大神到了紫竹林裏，參拜菩薩。

菩薩道：「悟空，唐僧行到何處也？」行者道：「行到西牛賀洲萬壽山了。」菩薩道：「那萬壽山有座五莊觀，鎮元大仙，你曾會他麽？」行者頓首道：「因是在五莊觀，弟子不識鎮元大仙，毁傷了他的人參果樹，衝撞了他，他就困滯了我師父，不得前進。」那菩薩情知，怪道：「你這潑猴，不知好歹！他那人參果樹，乃天開地闢的靈根；鎮元子乃地仙之祖，我也讓他三分；你怎麽就打傷他樹！」行者再拜道：「弟子實是不知。那一日，他不在家，祇有兩個仙童，候待我等。是猪悟能曉得他有果子，要一個嚐新，弟子委偷了他三個，兄弟們分吃了。那童子知覺，罵我等無已，是弟子發怒，遂將他樹推倒。他次日回來趕上，將我等一袖子籠去，繩綁鞭抽，拷打了一日。我等當夜走脱，又被他趕上，依然籠了。三番兩次，其實難逃，已允了與他醫樹。却纔自海上求方，遍遊三島，衆神仙都没有本事。弟子因此志心朝禮，特拜告菩薩。伏望慈憫，俯賜一方，以救唐僧早早西去。」菩薩道：「你怎麽不早來見我，却往島上去尋找？」

行者聞得此言，心中暗喜道：「造化了！造化了！菩薩一定有方也！」他又上前懇求。菩薩道：「我這净瓶底的『甘露水』，善治得仙樹靈苗。」行者道：「可曾經驗過麽？」菩薩道：「經驗過的。」行者問：「有何經驗？」菩薩道：「當年太上老君曾與我賭勝：他把我的楊柳枝拔了去，放在煉丹爐裏，炙得焦幹，送來還我。是我拿了插在瓶中，一晝夜，復得青枝緑葉，與舊相同。」行者笑道：「真造化了！真造化了！烘焦了的尚能醫活，況此推倒的，有何難哉！」菩薩吩咐大衆：「看守林中，我去去來。」遂手托净瓶，白鸚哥前邊巧囀，孫大聖隨後相從。有詩爲證。詩曰：

玉毫金象世難論，正是慈悲救苦尊。過去劫逢無垢佛，至今成得有爲身。幾生欲海澄清浪，一片心田絶點塵。
甘露久經真妙法，管教寶樹永長春。

却説那觀裏大仙與三老正然清話，忽見孫大聖按落雲頭，叫道：「菩薩來了。快接！快接！」慌得那三星與鎮元子共三藏師徒，一齊迎出寶殿。菩薩才住了祥雲，先與鎮元子陪了話；後與三星作禮。禮畢上坐。那階前，行者引唐僧、八戒、沙僧都拜了。那觀中諸仙，也來拜見。行者道：「大仙不必遲疑，趁早兒陳設香案，請菩薩替你治那甚麽果樹去。」大仙躬身謝菩薩道：「小可的勾當，怎麽敢勞菩薩下降？」菩薩道：「唐僧乃我之弟子，孫悟空衝撞了先生，理當賠償寶樹。」三老道：「既如此，不須謙講了。請菩薩都到園中去看看。」

那大仙即命設具香案，打掃後園，請菩薩先行。三老隨後。三藏師徒與本觀衆仙，都到園内觀看時，那顆樹倒在地下，土開根現，葉落枝枯。菩薩叫：「悟空，伸手來。」那行者將左手伸開。菩薩將楊柳枝，蘸出瓶中甘露，把行者手心裏畫了一道起死回生的符字，教他放在樹根之下，但看水出爲度。那行者捏着拳頭，往那樹根底下揣着；須臾，有清泉一汪。菩薩道：「那個水不許犯五行之器，須用玉瓢舀出，扶起樹來，從頭澆下，自然根皮相合，葉長芽生，枝青果出。」行者道：「小道士們，快取玉瓢來。」鎮元子道：「貧道荒山，没有玉瓢，祇有玉茶盞、玉酒杯，可用得麽？」菩薩道：「但是玉器，可舀得水的便罷，取將來看。」大仙即命小童子取出有二三十個茶盞，四五十個酒盞，却將那根下清泉舀出。行者、八戒、沙僧，扛起樹來，扶得周正，擁上土，將玉器内甘泉，一甌

甌捧與菩薩。菩薩將楊柳枝細細灑上，口中又念着經咒。不多時，灑净那舀出之水，衹見那樹果然依舊青綠葉陰森，上有二十三個人參果。清風、明月二童子道：『前日不見了果子時，顛倒衹數得二十二個，今日回生，怎麽又多了一個？』行者道：『「日久見人心。」前日老孫衹偷了三個，那一個落下地來，土地説這寶遇土而入，八戒衹嚷我打了偏手，故走了風信，衹纏到如今，才見明白。』

菩薩道：『我方纔不用五行之器者，知道此物與五行相畏故耳。』那大仙十分歡喜，急令取金擊子來，把果子敲下十個，請菩薩與三老復回寶殿，一則謝勞，二來做個『人參果會』。衆小仙遂調開桌椅，鋪設丹盤，請菩薩坐了上面正席，三老左席，唐僧右席，鎮元子前席相陪，各食了一個。有詩爲證。詩曰：

萬壽山中古洞天，人參一熟九千年。靈根現出芽枝損，甘露滋生果葉全。三老喜逢皆舊契，四僧幸遇是前緣。自今會服人參果，盡是長生不老仙。

此時菩薩與三老各吃了一個，唐僧始知是仙家寶貝，也吃了一個。悟空三人，亦各吃一個。鎮元子陪了一個。本觀仙衆分吃了一個。行者才謝了菩薩回上普陀岩，送三星徑轉蓬萊島。鎮元子却又安排蔬酒，與行者結爲兄弟。這才是不打不成相識，兩家合了一家。師徒四衆，喜喜歡歡，天晚歇了。那長老才是：

有緣吃得草還丹，長壽苦捱妖怪難。

畢竟到明日如何作别，且聽下回分解。

總批：

吕祖云：『真精送與粉骷髏，却向人間買秋石。』憑他草還丹、人參果，不如自家的真精妙也。珍重，珍重。

第二十七回 屍魔三戲唐三藏 聖僧恨逐美猴王

却説三藏師徒，次日天明，收拾前進。那鎮元子與行者結爲兄弟，兩人情投意合，決不肯放；又安排管待，一連住了五六日。那長老自服了草還丹，真似脱胎換骨，神爽體健。他取經心重，那裏肯淹留，無已，遂行。

師徒别了上路，早見一座高山。三藏道：『徒弟，前面有山險峻，恐馬不能前，大家須仔細仔細。』行者道：『師父放心，我等自然理會。』好猴王，他在那馬前，横擔着棒，剖開山路，上了高崖，看不盡：

峰岩重迭，澗壑灣環。虎狼成陣走，麂鹿作群行。無數獐狍鑽簇簇，滿山狐兔聚叢叢。千尺大蟒，萬丈長蛇。大蟒噴愁霧，長蛇吐怪風。道旁荆棘牽漫，嶺上松楠秀麗。薜蘿滿目，芳草連天。影落滄溟北，雲開斗柄南。萬古含元氣老，千峰巍列日光寒。

那長老馬上心驚，孫大聖佈施手段，舞着鐵棒，哮吼一聲，唬得那狼蟲顛竄，虎豹奔逃。

師徒們入此山，正行到嵯峨之處，三藏道：『悟空，我這一日，肚中飢了，你去那裏化些齋吃。』行者陪笑道：『師父好不聰明。這等半山之中，前不巴村，後不着店，有錢也没買處，教往那裏尋齋？』三藏心中不快，口裏駡道：『你這猴子！想你在兩界山，被如來壓在石匣之内，口能言，足不能行，也虧我救你性命，摩頂受戒，做了我的徒弟。怎麽不肯努力，常懷懶惰之心！』行者道：『弟子亦頗殷勤，何常懶惰？』三藏道：『你既殷勤，何不化齋我吃？我肚飢怎行？况此地山嵐瘴氣，怎麽得上雷音？』行者道：『師父休怪，少要言語。我知你尊性高傲，十分違慢了你，便要念那話兒咒。你下馬穩坐，等我尋那裏有人家處化齋去。』

行者將身一縱，跳上雲端裏，手搭凉篷，睁眼觀看。可憐西方路甚是寂寞，更無莊堡人家；正是多逢樹木，少見人烟去處。看多時，衹見正南上有一座高山。那山向陽處，有一片鮮紅的點子。行者按下雲頭道：『師父，有吃的了。』那長老問甚東西。行者道：『這裏没人家化飯，那南山有一片紅的，想必是熟透了的山桃，我去摘幾

個來你充飢。』三藏喜道：『出家人若有桃子吃，就爲上分了！快去。』行者取了鉢盂，縱起祥光，你看他筋斗幌幌，冷氣颼颼，須臾間，奔南山摘桃不題。

却說常言有云：『山高必有怪，嶺峻却生精。』果然這山上有一個妖精。孫大聖去時，驚動那怪。他在雲端裏，踏着陰風，看見長老坐在地下，就不勝歡喜道：『造化！造化！幾年家人都講東土的唐和尚取「大乘」，他本是金蟬子化身，十世修行的原體。有人吃他一塊肉，長壽長生。真個今日到了。』那妖精上前就要拿他，衹見長老左右手下有兩員大將護持，不敢攏身。他說兩員大將是誰？說是八戒、沙僧。八戒、沙僧，雖没甚麽大本事，然八戒是天蓬元帥，沙僧是捲簾大將。他的威氣尚不曾泄，故不敢攏身。妖精說：『等我且戲他戲，看怎麽說。』

好妖精，停下陰風，在那山凹裏，摇身一變，變做個月貌花容的女兒，説不盡那眉清目秀，齒白唇紅，左手提着一個青砂罐兒，右手提着一個緑磁瓶兒，從西向東，徑奔唐僧：

聖僧歇馬在山岩，忽見裙釵女近前。翠袖輕摇籠玉笋，湘裙斜拽顯金蓮。汗流粉面花含露，塵拂蛾眉柳帶煙。
仔細定睛觀看處，看看行至到身邊。

三藏見了，叫：『八戒，沙僧，悟空才說這裏曠野無人，你看那裏不走出一個人來了？』八戒道：『師父，你與沙僧坐着，等老猪去看看來。』那呆子放下釘鈀，整整直裰，擺擺摇摇，充作個斯文氣象，一直的覿面相迎。真個是遠看未實，近看分明。那女子生得：

冰肌藏玉骨，衫領露酥胸。柳眉積翠黛，杏眼閃銀星。月樣容儀俏，天然性格清。體似燕藏柳，聲如鶯囀林。
半放海棠籠曉日，才開芍藥弄春晴。

那八戒見他生得俊俏，呆子就動了凡心，忍不住胡言亂語。叫道：『女菩薩，往那裏去？手裏提着是甚麽東西？』——分明是個妖怪，他却不能認得。——那女子連聲答應道：『長老，我這青罐裏是香米飯，緑瓶裏是炒麵筋。特來此處無他故，因還誓願要齋僧。』

八戒聞言，滿心歡喜。急抽身，就跑了個猪顛風，報與三藏道：『師父！「吉人自有天報！」師父餓了，教師兄去化齋，那猴子不知那裏摘桃兒耍子去了。桃子吃多了，也有些嘈人，又有些下墜。你看那不是個齋僧的來了？』唐僧不信道：『你這個夯貨胡纏！我們走了這向，好人也不曾遇着一個，齋僧的從何而來？』八戒道：『師父，這不到了？』

三藏一見，連忙跳起身來，合掌當胸道：『女菩薩，你府上在何處住？是甚人家？有甚願心，來此齋僧？』——分明是個妖精，那長老也不認得。那妖精見唐僧問他來歷，他立地就起個虚情，花言巧語，來賺哄道：『師父，此山叫做蛇回獸怕的白虎嶺。正西下面是我家。我父母在堂，看經好善，廣齋方上遠近僧人；衹因無子，求神作福；生了奴奴，欲扳門第，配嫁他人，又恐老來無倚，只得將奴招了一個女婿，養老送終。』三藏聞言道：『女菩薩，你語言差了。聖經云：「父母在，不遠遊；遊必有方。」你既有父母在堂，又與你招了女婿，——有願心，教你男子還，便也罷，怎麽自家在山行走？又没個侍兒隨從。這個是不遵婦道了。』

那女子笑吟吟，忙陪俏語道：『師父，我丈夫在山北凹裏，帶幾個客子鋤田。這是奴奴煮的午飯，送與那些人吃的。衹爲五黄六月，無人使唤，父母又年老，所以親身來送。忽遇三位遠來，却思父母好善，故將此飯齋僧。如不弃嫌，願表芹獻。』三藏道：『善哉！善哉！我有徒弟摘果子去了，就來。我不敢吃；假如我和尚吃了你飯，你丈夫曉得，罵你，却不罪坐貧僧也？』那女子見唐僧不肯吃，却又滿面春生道：『師父啊，我父母齋僧，還是小可；我丈夫更是個善人，一生好的是修橋補路，愛老憐貧。但聽見說這飯送與師父吃了，他與我夫妻情上，比尋常更是不同。』三藏也只是不吃。旁邊子惱壞了八戒。那呆子努着嘴，口裏埋怨道：『天下和尚也無數，不曾像我這個老和尚罷軟！現成的飯，三分兒，倒不吃，衹等那猴子來，做四分才吃！』他不容分說，一嘴把個罐子拱倒，就要動口。

祇見那行者自南山頂上，摘了幾個桃子，托着鉢盂，一筋斗，點將回來，睁火眼金睛觀看，認得那女子是個妖精，放下鉢盂，掣鐵棒，當頭就打。唬得個長老用手扯住道：『悟空！你走將來打誰？』行者道：『師父，你面前這個女子，莫當做個好人，他是個妖精，要來騙你哩。』三藏道：『你這猴頭，當時倒也有些眼力，今日如何亂道？這女菩薩有此善心，將這飯要齋我等，你怎麼說他是個妖精？』行者笑道：『師父，你那裏認得。老孫在水簾洞裏做妖魔時，若想人肉吃，便是這等：或變金銀，或變莊臺，或變醉人，或變女色。有那等痴心的，愛上我，我就迷他到洞內，盡意隨心，或蒸或煮受用；吃不了，還要曬幹了防天陰哩！師父，我若來遲，你定入他套子，遭他毒手！』那唐僧那裏肯信，祇說是個好人。行者道：『師父，我知道你了。你見他那等容貌，必然動了凡心。若果有此意，叫八戒伐幾棵樹來，沙僧尋些草來，我做木匠，就在這裏搭個窩鋪，你與他圓房成事，我們大家散了，却不是件事業？何必又跋涉，取甚經去？』那長老原是個軟善的人，那裏吃得他這句言語，羞得個光頭徹耳通紅。

三藏正在此羞慚，行者又發起性來，掣鐵棒，望妖精劈臉一下。那怪物有些手段，使個『解屍法』，見行者棍子來時，他却抖擻精神，預先走了，把一個假屍首打死在地下。唬得個長老戰戰兢兢，口中作念道：『這猴着然無禮！屢勸不從，無故傷人性命！』行者道：『師父莫怪，你且來看看這罐子裏是甚東西。』沙僧攙着長老，近前看時，那裏是甚香米飯，却是一罐子拖尾巴的長蛆；也不是麵筋，却是幾個青蛙、癩蝦蟆，滿地亂跳。長老才有三分兒信了。怎禁豬八戒氣不忿，在旁漏八分兒唆嘴道：『師父，說起這個女子，他是此間農婦，因爲送飯下田，路遇我等，却怎麼栽他是個妖怪？哥哥的棍重，走將來試手打他一下，不期就打殺了；怕你念甚麼《緊箍兒咒》，故意的使個障眼法兒，變做這等樣東西，演幌你眼，使不念咒哩。』

三藏自此一言，就是晦氣到了：果然信那呆子攛唆，手中捻訣，口裏念咒。行者就叫：『頭疼！頭疼！莫念！莫念！有話便說。』唐僧道：『有甚話說？出家人時時常要方便，念念不離善心，掃地恐傷螻蟻命，愛惜飛蛾紗罩燈。你怎麼步步行兇？打死這個無故平人，取將經來何用？你回去罷！』行者道：『師父，你教我回那裏去？』唐僧道：『我不要你做徒弟。』行者道：『你不要我做徒弟，只怕你西天路去不成。』唐僧道：『我命在天，該那個妖精蒸了吃，就是煮了，也算不過。終不然，你救得我的大限？你快回去！』行者道：『師父，我回去便也罷了，只是不曾報得你的恩哩。』唐僧道：『我與你有甚恩？』那大聖聞言，連忙跪下叩頭道：『老孫因大鬧天宮，致下了傷身之難，被我佛壓在兩界山，幸觀音菩薩與我受了戒行，幸師父救脱吾身，若不與你同上西天，顯得我「知恩不報非君子，萬古千秋作罵名。」』原來這唐僧是個慈憫的聖僧。他見行者哀告，却也回心轉意道：『既如此說，且饒你這一次。再休無禮。如若仍前作惡，這咒語顛倒就念二十遍！』行者道：『三十遍也由你，只是我不打人了。』却纔伏侍唐僧上馬，又將摘來桃子奉上。唐僧在馬上也吃了幾個，權且充飢。

却說那妖精，脱命昇空。原來行者那一棒不曾打殺妖精，妖精出神去了。他在那雲端裏，咬牙切齒，暗恨行者道：『幾年祇聞得講他手段，今日果然話不虛傳。那唐僧已是不認得我，將要吃飯。若低頭聞一聞兒，我就一把撈住，却不是我的人了。不期被他走來，弄破我這勾當，又幾乎被他打了一棒。若饒了這個和尚，誠然是勞而無功也。我還下去戲他一戲。』

好妖精，按落陰雲，在那前山坡下，搖身一變，變作個老婦人，年滿八旬，手拄着一根彎頭竹杖，一步一聲的哭着走來。八戒見了，大驚道：『師父！不好了！那媽媽兒來尋人了！』唐僧道：『尋甚人？』八戒道：『師兄打殺的，定是他女兒。這個定是他娘尋將來了。』行者道：『兄弟莫要胡說！那女子十八歲，這老婦有八十歲，怎麼六十多歲還生產？斷乎是個假的，等老孫去看來。』好行者，拽開步，走近前觀看，那怪物：

假變一婆婆，兩鬢如冰雪。走路慢騰騰，行步虛怯怯。弱體瘦伶仃，臉如枯菜葉。顴骨望上翹，嘴唇往下別。
老年不比少年時，滿臉都是荷葉摺。

行者認得他是妖精，更不理論，舉棒照頭便打。那怪見棍子起時，依然抖擻，又出化了元神，脱真兒去了；把個假屍首又打死在山路之下。

唐僧一見，驚下馬來，睡在路旁，更無二話，只是把《緊箍兒咒》顛倒足足念了二十遍。可憐把個行者頭，勒得似個亞腰葫蘆，十分疼痛難忍，滾將來哀告道：『師父莫念了！有甚話說了罷！』唐僧道：『有甚話說！出家人耳聽善言，不墮地獄。我這般勸化你，你怎麽只是行兇？把平人打死一個，又打死一個，此是何說？』行者道：『他是妖精。』唐僧道：『這個猴子胡說！就有這許多妖怪！你是個無心向善之輩，有意作惡之人，你去罷！』行者道：『師父又教我去？回去便也回去了，只是一件不相應。』唐僧道：『你有甚麽不相應處？』八戒道：『師父，他要和你分行李哩。跟着你做了這幾年和尚，不成空着手回去？你把那包袱内的甚麽舊褊衫，破帽子，分兩件與他罷。』

行者聞言，氣得暴跳道：『我把你這個尖嘴的夯貨！老孫一向秉教沙門，更無一毫嫉妒之意，貪戀之心，怎麽要分甚麽行李？』唐僧道：『你既不嫉妒貪戀，如何不去？』行者道：『實不瞞師父說。老孫五百年前，居花果山水簾洞大展英雄之際，收降七十二洞邪魔，手下有四萬七千群怪，頭戴的是紫金冠，身穿的是赭黄袍，腰繫的是藍田帶，足踏的是步雲履，手執的是如意金箍棒，着實也曾爲人。自從涅槃罪度，削髮秉正沙門，跟你做了徒弟，把這個「金箍兒」勒在我頭上，若回去，却也難見故鄉人。師父果若不要我，把那個《鬆箍兒咒》念一念，退下這個箍子，交付與你，套在別人頭上，我就快活相應了。也是跟你一場。莫不成這些人意兒也没有了？』唐僧大驚道：『悟空，我當時只是菩薩暗受一卷《緊箍兒咒》，却没有甚麽《鬆箍兒咒》。』行者道：『若無《鬆箍兒咒》，你還帶我去走走罷。』長老又没奈何道：『你且起來，我再饒你這一次，却不可再行兇了。』行者道：『再不敢了。再不敢了。』又伏侍師父上馬，剖路前進。

却說那妖精，原來行者第二棍也不曾打殺他。那怪物在半空中，誇獎不盡道：『好個猴王，着然有眼！我那

般變了去，他也還認得我。這些和尚，他去得快，若過此山，西下四十里，就不伏我所管了。若是被別處妖魔撈了去，好道就笑破他人口，使碎自家心。我還下去戲他一戲。」好妖怪，按聳陰風，在山坡下搖身一變，變做一個老公公，真個是：

白髮如彭祖，蒼髯賽壽星。耳中鳴玉磬，眼裏幌金星。手拄龍頭拐，身穿鶴氅輕。數珠掐在手，口誦南無經。

唐僧在馬上見了，心中大喜道：「阿彌陀佛！西方真是福地！那公公路也走不上來，逼法的還念經哩。」八戒道：「師父，你且莫要誇獎。那個是禍的根哩。」唐僧道：「怎麼是禍根？」八戒道：「師兄打殺他的女兒，又打殺他的婆子，這個正是他的老兒尋將來了。我們若撞在他的懷裏呵，師父，你便償命，該個死罪；把老猪爲從，問個充軍；沙僧喝令，問個擺站；那行者使個遁法走了，却不苦了我們三個頂缸？」行者聽見道：「這個呆根，這等胡說，可不唬了師父？等老孫再去看看。」

他把棍藏在身邊，走上前，迎着怪物，叫聲「老官兒，往那裏去？怎麼又走路，又念經？」那妖精錯認了定盤星，把孫大聖也當做個等閑的，遂答道：「長老啊，我老漢祖居此地，一生好善齋僧，看經念佛。命裏無兒，止生得一個小女，招了個女婿。今早送飯下田，想是遭逢虎口。老妻先來找尋，也不見回去。全然不知下落，老漢特來尋看。果然是傷殘他命，也没奈何，將他骸骨收拾回去，安葬塋中。」行者笑道：「我是個做䝿虎的祖宗，你怎麼袖子裏籠了個鬼兒來哄我？你瞞了諸人，瞞不過我！我認得你是個妖精！」那妖精唬得頓口無言。行者掣鐵棒來，自忖思道：「若要不打他，顯得他倒弄個風兒；若要打他，又怕師父念那話兒咒語。」又思量道：「不打殺他，他一時間抄空兒把師父撈了去，却不又費心勞力去救他？……還打的是！就一棍子打殺，師父念起那咒，常言道：『虎毒不吃兒。』憑着我巧言花語，嘴伶舌便，哄他一哄，好道也罷了。」

好大聖，念動咒語，叫當坊土地、本處山神道：「這妖精三番來戲弄我師父，這一番却要打殺他。你與我在

半空中作證，不許走了。」衆神聽令，誰敢不從，都在雲端裏照應。那大聖棍起處，打倒妖魔，才斷絶了靈光。

那唐僧在馬上，又唬得戰戰兢兢，口不能言。八戒在旁邊又笑道：「好行者！風發了！衹行了半日路，倒打死三個人！」唐僧正要念咒，行者急到馬前，叫道：「師父，莫念！莫念！你且來看看他的模樣。」却是一堆粉骷髏在那裏。唐僧大驚道：「悟空，這個人才死了，怎麼就化作一堆骷髏？」行者道：「他是個潛靈作怪的殭尸，在此迷人敗本；被我打殺，他就現了本相。他那脊梁上有一行字，叫做『白骨夫人』。」唐僧聞説，倒也信了；怎禁那八戒旁邊唆嘴道：「師父，他的手重棍兇，把人打死，只怕你念那話兒，故意變化這個模樣，掩你的眼目哩！」唐僧果然耳軟，又信了他，隨復念起。行者禁不得疼痛，跪于路旁，衹叫「莫念！莫念！有話快説了罷！」唐僧道：「猴頭！還有甚説話！出家人行善，如春園之草，不見其長，日有所增；行惡之人，如磨刀之石，不見其損，日有所虧。你在這荒郊野外，一連打死三人，還是無人檢舉，没有對頭；倘到城市之中，人煙湊集之所，你拿了那哭喪棒，一時不知好歹，亂打起人來，撞出大禍，教我怎的脱身？你回去罷！」行者道：「師父錯怪了我也。這廝分明是個妖魔，他實有心害你。我倒打死他，替你除了害，你却不認得，反信了那呆子讒言冷語，屢次逐我。常言道：『事不過三。』我若不去，真是個下流無耻之徒。我去！我去！——去便去了，只是你手下無人。」唐僧發怒道：「這潑猴越發無禮！看起來，衹你是人，那悟能、悟浄，就不是人？」

那大聖一聞得説，他兩個是人，止不住傷情凄慘，對唐僧道聲：「苦啊！你那時節，出了長安，有劉伯欽送你上路，到兩界山，救我出來，投拜你爲師，我曾穿古洞，入深林，擒魔捉怪，收八戒，得沙僧，吃盡千辛萬苦；今日昧着惺惺使糊塗，衹教我回去：這才是『鳥盡弓藏，兔死狗烹』！——罷！罷！罷！但只是多了那《緊箍兒咒》。」唐僧道：「我再不念了。」行者道：「這個難説。若到那毒魔苦難處不得脱身，八戒、沙僧救不得你，那時節，想起我來，忍不住又念誦起來，就是十萬里路，我的頭也是疼的；假如再來見你，不如不作此意。」

唐僧見他言語，越發惱怒，滚鞍下馬來，叫沙僧包袱内取出紙筆，即于澗下取水，石上磨墨，寫了一紙貶書，遞于行者道：『猴頭！執此爲照！再不要你做徒弟了！如再與你相見，我就墮了阿鼻地獄！』行者連忙接了貶書道：『師父，不消發誓，老孫去罷。』他將書摺了，留在袖中，却又軟款唐僧道：『師父，我也是跟你一場，又蒙菩薩指教；今日半途而廢，不曾成得功果，你請坐，受我一拜，我也去得放心。』唐僧轉回身不睬，口裏唧唧噥噥的道：『我是個好和尚，不受你歹人的禮！』大聖見他不睬，又使個身外法，把腦後毫毛拔了三根，吹口仙氣，叫『變！』即變了三個行者，連本身四個，四面圍住師父下拜。那長老左右躲不脱，好道也受了一拜。

大聖跳起來，把身一抖，收上毫毛，却又吩咐沙僧道：『賢弟，你是個好人，却衹要留心防着八戒詀言詀語，途中更要仔細。倘一時有妖精拿住師父，你就説老孫是他大徒弟：西方毛怪，聞我的手段，不敢傷我師父。』唐僧道：『我是個好和尚，不題你這歹人的名字。你回去罷。』那大聖見長老三番兩復，不肯轉意回心，没奈何才去。你看他：

噙泪叩頭辭長老，含悲留意囑沙僧。一頭拭迸坡前草，兩脚蹬翻地上藤。上天下地如輪轉，跨海飛山第一能。頃刻之間不見影，霎時疾返舊途程。

你看他忍氣别了師父，縱筋斗雲，徑回花果山水簾洞去了。獨自個凄凄慘慘，忽聞得水聲聒耳。大聖在那半空裏看時，原來是東洋大海潮發的聲響。一見了，又想起唐僧，止不住腮邊泪墜，停雲住步，良久方去。

畢竟不知此去反復何如，且聽下回分解。

總批：

誰家没有個白骨夫人？安得行者一棒打殺！〇世上以功爲罪，以德爲仇，比比而是，不但行者一個受屈，三藏一人糊塗已也。可爲三嘆。

第二十八回 花果山群妖聚義 黑松林三藏逢魔

却説那大聖雖被唐僧逐趕，然猶思念，感嘆不已，早望見東洋大海。道：『我不走此路者，已五百年矣！』衹見那海水：

烟波蕩蕩，巨浪悠悠。烟波蕩蕩接天河，巨浪悠悠通地脉。潮來洶湧，水浸灣環。潮來洶湧，猶如霹靂吼三春；水浸灣環，却似狂風吹九夏。乘龍福老，往來必定皺眉行；跨鶴仙童，反復果然憂慮過。近岸無村社，傍水少漁舟。浪捲千年雪，風生六月秋。野禽憑出没，沙鳥任沉浮。眼前無釣客，耳畔祇聞鷗。海底遊魚樂，天邊過雁愁。

那行者將身一縱，跳過了東洋大海，早至花果山。按落雲頭，睁睛觀看，那山上花草俱無，烟霞盡絶；峰岩倒塌，林樹焦枯。你道怎麽這等？衹因他鬧了天宫，拿上界去。此山被顯聖二郎神，率領那梅山七弟兄，放火燒壞了。這大聖倍加凄慘。有一篇敗山頽景的古風爲證。古風云：

回顧仙山兩泪垂，對山凄慘更傷悲。當時衹道山無損，今日方知地有虧。可恨二郎將我滅，堪嗔小聖把人欺。行兇掘你先靈墓，無幹破爾祖墳基。滿天霞霧皆消蕩，遍地風雲盡散稀。東嶺不聞斑虎嘯，西山那見白猿啼。北溪狐兔無踪跡，南谷獐狍没影遺。青石燒成千塊土，碧砂化作一堆泥。洞外喬松皆倚倒，崖前翠柏盡稀少。椿杉槐檜栗檀焦，桃杏李梅梨棗了。柘絶桑無怎養蠶，柳稀竹少難栖鳥。峰頭巧石化爲塵，澗底泉幹都是草。崖前土黑没芝蘭，路畔泥紅藤薜攀。往日飛禽飛那處？當時走獸走何山？豹嫌蟒惡傾頽所，鶴避蛇回敗壞間。想是日前行惡念，致令目下受艱難。

那大聖正當悲切，衹聽得那芳草坡前，曼荆凹裏，響一聲，跳出七八個小猴，一擁上前，圍住叩頭。高叫道：『大聖爺爺！今日來家了？』美猴王道：『你們因何不要不頑，一個個都潛踪隱跡？我來多時了，不見你們形影，何也？』群猴聽説，一個個垂泪告道：『自大聖擒拿上界，我們被獵人之苦，着實難捱！怎禁他硬弩强弓，黄鷹劣犬，綱

釦槍鉤，故此各惜性命，不敢出頭頑耍，只是深潛洞府，遠避窩巢。飢去坡前偷草食，渴來澗下吸清泉。却纔聽得大聖爺爺聲音，特來接見，伏望扶持。」那大聖聞得此言，愈加淒慘。便問：「你們還有多少在此山上？」群猴道：「老者，小者，祇有千把。」大聖道：「我當時共有四萬七千群妖，如今都往那裏去了？」群猴道：「自從爺爺去後，這山被二郎菩薩點上火，燒殺了大半。我們蹲在井裏，鑽在澗內，藏于鐵板橋下，得了性命。及至火滅烟消，出來時，又没花果養贍，難以存活，别處又去了一半。我們這一半，挨苦的住在山中。這兩年，又被些打獵的搶了一半去也。」行者道：「他搶你去何幹？」群猴道：「説起這獵户，可恨！他把我們中箭着槍的，中毒打死的，拿了去剥皮剔骨，醬煮醋蒸，油煎鹽炒，當做下飯食用。或有那遭網的，遇釦的，夾活兒拿去了，教他跳圈做戲，翻筋斗，豎蜻蜓，當街上篩鑼擂鼓，無所不爲的頑耍。」大聖聞此言，更十分惱怒道：「洞中有甚麽人執事？」群妖道：「還有馬、流二元帥，奔、芭二將軍管着哩。」大聖道：「你們去報他知道，説我來了。」那些小妖，撞入門內報道：「大聖爺爺來家了。」那馬、流、奔、芭聞報，忙出門叩頭，迎接進洞。

大聖坐在中間，群妖羅拜于前，啓道：「大聖爺爺，近聞得你得了性命，保唐僧往西天取經，如何不走西方，却回本山？」大聖道：「小的們，你不知道。那唐三藏不識賢愚：我爲他一路上捉怪擒魔，使盡了平生的手段，幾番家打殺妖精，他説我行兇作惡，不要我做徒弟，把我逐趕回來，寫立貶書爲照，永不聽用了。」

衆猴鼓掌大笑道：「造化！造化！做甚麽和尚，且家來，帶携我們耍子幾年罷！」叫：「快安排椰子酒來，與爺爺接風。」大聖道：「且莫飲酒。我問你：那打獵的人，幾時來我山上一度？」馬、流道：「大聖，不論甚麽時度，他逐日家在這裏纏擾。」大聖道：「他怎麽今日不來？」馬、流道：「看待來耶。」大聖吩咐：「小的們，都出去把那山上燒酥了的碎石頭與我搬將起來堆着。——或二三十個一堆，或五六十個一堆，堆着，我有用處。」那些小猴，都是一窩蜂，一個個跳天搠地，亂搬了許多堆集。大聖看了，教：「小的們，都往洞內藏躲，讓老孫作法。」

那大聖上了山巔看處，衹見那南半邊，鼕鼕鼓響，噹噹鑼鳴，閃上有千餘人馬，都架着鷹犬，持着刀槍。猴王仔細看那些人，來得兇險。好男子，真個驍勇！但見：

狐皮苫肩頂，錦綺裹腰胸。袋插狼牙箭，胯挂寶雕弓。人似搜山虎，馬如跳澗龍。成群引着犬，滿膀架其鷹。荆筐抬火炮，帶定海東青。粘竿百十擔，兔叉有千根。牛頭攔路網，閻王鉤子繩。一齊亂吆喝，散撒滿天星。

大聖見那些人布上他的山來，心中大怒。手裏捻訣，口内念念有詞，往那巽地上吸了一口氣，呼的吹將去，便是一陣狂風。好風！但見：

揚塵播土，倒樹摧林。海浪如山聳，渾波萬迭侵。乾坤昏蕩蕩，日月暗沉沉。一陣摇松如虎嘯，忽然入竹似龍吟。萬竅怒號天噫氣，飛砂走石亂傷人。

大聖作起這大風，將那碎石，乘風亂飛亂舞，可憐把那些千餘人馬，一個個：

石打烏頭粉碎，沙飛海馬俱傷。人參官桂嶺前忙，血染硃砂地上。附子難歸故裏，檳榔怎得還鄉？屍骸輕粉卧山場，紅娘子家中盼望。

詩曰：

人亡馬死怎歸家？野鬼孤魂亂似麻。可憐抖擻英雄將，不辨賢愚血染沙。

大聖按落雲頭，鼓掌大笑道：『造化！造化！自從歸順唐僧，做了和尚，他每每勸我話道：「千日行善，善猶不足；一日行惡，惡自有餘。」真有此話！我跟着他，打殺幾個妖精，他就怪我行兇；今日來家，却結果了這許多獵户。』叫：『小的們，出來！』那群猴，狂風過去，聽得大聖呼喚，一個個跳將出來。大聖道：『你們去南山下，把那打死的獵户衣服，剥得來家，洗净血跡，穿了遮寒；把死人的屍首，都推在那萬丈深潭内；把死倒的馬，拖將來，剥了皮，做靴穿，將肉腌着，慢慢的食用；把那些弓箭槍刀，與你們操演武藝；將那雜色旗號，收來我用。』群猴一個個領諾。

那大聖把旗拆洗，總鬥做一面雜綵花旗，上寫着『重修花果山，復整水簾洞，齊天大聖』十四字。竪起杆子，將旗挂于洞外，逐日招魔聚獸，積草屯糧，不題『和尚』二字。他的人情又大，手段又高，便去四海龍王，借些甘霖仙水，把山洗青了。前栽榆柳，後種松楠，桃李棗梅，無所不備，逍遥自在，樂業安居不題。

却説唐僧聽信狡性，縱放心猿。攀鞍上馬，八戒前邊開路，沙僧挑着行李西行。過了白虎嶺，忽見一帶林丘，真個是藤攀葛繞，柏翠松青。三藏叫道：『徒弟呀，山路崎嶇，甚是難走，却又松林叢簇，樹木森羅，切須仔細！恐有妖邪妖獸。』你看那呆子，抖擻精神，叫沙僧帶着馬，他使釘鈀開路，領唐僧徑入松林之内。正行處，那長老兜住馬道：『八戒，我這一日其實飢了，那裏尋些齋飯我吃？』八戒道：『師父請下馬，在此等老猪去尋。』長老下了馬，沙僧歇了擔，取出鉢盂，遞與八戒。八戒道：『我去也。』長老問：『那裏去？』八戒道：『莫管，我這一去，鑽冰取火尋齋至，壓雪求油化飯來。』

你看他出了松林，往西行經十餘裏，更不曾撞着一個人家，真是有狼虎無人烟的去處。那呆子走得辛苦，心内沉吟道：『當年行者在日，老和尚要的就有；今日輪到我的身上，誠所謂「當家才知柴米價，養子方曉父娘恩」。公道没去處化。』却又走得瞌睡上來，思道：『我若就回去，對老和尚説没處化齋，他也不信我走了這許多路。須是再多幌個時辰，才好去回話。……也罷，也罷，且往這草科裏睡睡。』呆子就把頭拱在草裏睡下。當時也衹説朦朧朦朧就起來，豈知走路辛苦的人，丟倒頭，衹管齁齁睡起。

且不言八戒在此睡覺。却説長老在那林間，耳熱眼跳，身心不安。急回叫沙僧道：『悟能去化齋，怎麽這早晚還不回？』沙僧道：『師父，你還不曉得哩。他見這西方上人家齋僧的多，他肚子又大，他管你？衹等他吃飽了才來哩。』三藏道：『正是呀，倘或他在那裏貪着吃齋，我們那裏會他？天色晚了，此間不是個住處，須要尋個

下處方好哩。」沙僧道：「不打緊，師父，你且坐在這裏，等我去尋他來。」三藏道：「正是，正是，有齋沒齋罷了，只是尋下處要緊。」沙僧綽了寶杖，徑出松林來找八戒。

長老獨坐林中，十分悶倦。只得强打精神，跳將起來，把行李攢在一處，將馬拴在樹上，取下戴的斗笠，插定了錫杖，整一整緇衣，徐步幽林，權爲散悶。那長老看遍了野草山花，聽不得歸巢鳥噪。原來那林子內都是些草深路小的去處。祇因他情思紊亂，却走錯了。他一來也是要散散悶，二來也是要尋八戒、沙僧；不期他兩個走的是直西路，長老轉了一會，却走向南邊去了。

出得松林，忽抬頭，見那壁廂金光閃爍，彩氣騰騰。仔細看處，原來是一座寶塔，金頂放光。這是那西落的日色，映着那金頂放亮。他道：「我弟子却沒緣法哩！自離東土，發願逢廟燒香，見佛拜佛，遇塔掃塔。那放光的不是一座黄金寶塔？怎麽就不曾走那條路？塔下必有寺院，院内必有僧家，且等我走走。這行李、白馬，料此處無人行走，却也無事。那裏若有方便處，待徒弟們來，一同借歇。」

噫！長老一時晦氣到了。你看他拽開步，竟至塔邊。但見那：

石崖高萬丈，山大接青霄。根連地厚，峰插天高。兩邊雜樹數千科，前後藤纏百餘裏。花映草梢風有影，水流雲竇月無根。倒木横擔深澗，枯藤結挂光峰。石橋下，流滚滚清泉；臺座上，長明明白粉。遠觀一似三島天堂，近看有如蓬萊勝境。香松紫竹繞山溪，鴉鵲猿猴穿峻嶺。洞門外，有一來一往的走獸成行；樹林裏，有或出或入的飛禽作隊。青青香草秀，艷艷野花開。這所在分明是惡境，那長老晦氣撞將來。

那長老舉步進前，才來到塔門之下，祇見一個斑竹簾兒，挂在裏面。他破步入門，揭起來，往裏就進，猛抬頭，見那石床上，側睡着一個妖魔。你道他怎生模樣：

青靛臉，白獠牙，一張大口呀呀。兩邊亂蓬蓬的鬢毛，却都是些胭脂染色；三四紫巍巍的髭髯，恍疑是那荔枝排芽。鸚嘴般的鼻兒拱拱，曙星樣的眼兒巴巴。兩個拳頭，和尚鉢盂模樣；一雙藍脚，懸崖榾柮丫槎。斜披着淡黄袍帳，賽過那織錦袈裟。拿的一口刀，精光耀映；眠的一塊石，細潤無瑕。他也曾小妖排蟻陣，他也曾老怪坐蜂衙。你看他威風凜凜，大家吆喝，叫一聲爺。他也曾月作三人壺酌酒，他也曾風生兩腋盞傾茶。你看他神通浩浩，霎着下眼，遊遍天涯。荒林喧鳥雀，深莽宿龍蛇。仙子種田生白玉，道人伏火養丹砂。小小洞門，雖到不得那阿鼻地獄；楞楞妖怪，却就是一個牛頭夜叉。

那長老看見他這般模樣，唬得打了一個倒退，遍體酥麻，兩腿酸軟，即忙的抽身便走。剛剛轉了一個身，那妖魔，他的靈性着實是强。大撑開着一雙金睛鬼眼，叫聲「小的們，你看門外是甚麽人？」一個小妖就伸頭望門外一看，看見是個光頭的長老，連忙跑將進去，報道：「大王，外面是個和尚哩。團頭大面，兩耳垂肩；嫩刮刮的一身肉，細嬌嬌的一張皮。且是好個和尚！」那妖聞言，呵聲笑道：「這叫做個『蛇頭上蒼蠅，自來的衣食。』你衆小的們！疾忙趕上也，與我拿將來！我這裏重重有賞。」那些小妖，就是一窩蜂，齊齊擁上。三藏見了，雖則是一心忙似箭，兩脚走如飛；終是心驚膽顫，腿軟脚麻。況且是山路崎嶇，林深日暮，步兒那裏移得動？被那些小妖平抬將去。正是：

龍遊淺水遭蝦戲，虎落平原被犬欺。縱然好事多磨障，誰像唐僧西向時？

你看那衆小妖，抬得長老，放在那竹簾兒外，歡歡喜喜，報聲道：「大王，拿得和尚進來了。」那老妖，他也偷眼瞧一瞧。祇見三藏頭直上，貌堂堂，果然好一個和尚。他便心中想道：「這等好和尚，必是上方人物，不當小可的；若不做個威風，他怎肯服降哩？」陡然間，就狐假虎威，紅鬚倒竪，血發朝天，眼睛迸裂。大喝一聲道：「帶那和尚進來！」衆妖們，大家響響的答應了一聲「是！」就把三藏望裏面只是一推。這是「既在矮檐下，怎敢不低頭！」三藏只得雙手合着，與他見個禮。那妖道：「你是那裏和尚？從那裏來？到那裏去？快快說明！」三藏道：「我本是唐朝僧人，奉大唐皇帝敕命，前往西方訪求經偈。經過貴山，特來塔下謁聖，不期驚動威嚴，望

乞恕罪。待往西方取得經回東土，永注高名也。」那妖聞言，呵呵大笑道：「我說是上邦人物，果然是你。正要吃你哩！却來的甚好！甚好！不然，却不錯放過了？你該是我口內的食，自然要撞將來，就放也放不去，就走也走不脫！」叫小妖：「把那和尚拿去綁了！」果然那些小妖，一擁上前，把個長老繩纏索綁，縛在那定魂樁上。

老妖持刀又問道：「和尚，你一行有幾人？終不然一人敢上西天？」三藏見他持刀，又老實說道：「大王，我有兩個徒弟，叫做猪八戒、沙和尚，都出松林化齋去了。還有一擔行李，一匹白馬，都在松林裏放着哩。」老妖道：「又造化了！兩個徒弟，連你三個，連馬四個，够吃一頓了！」小妖道：「我們去捉他來。」老妖道：「不要出去，把前門關了。他兩個化齋來，一定尋師父吃，尋不着，一定尋着我門上。常言道：『上門的買賣好做。』且等慢慢的捉他。」衆小妖把前門閉了。

且不言三藏逢災。却說那沙僧出林找八戒，直有十餘裏遠近，不曾見個莊村。他却站在高埠上正然觀看，祇聽得草中有人言語，急使杖撥開深草看時，原來是呆子在裏面說夢話哩。被沙僧揪着耳朵，方叫醒了。道：「好呆子啊！師父教你化齋，許你在此睡覺的？」那呆子冒冒失失的醒來道：「兄弟，有甚時候了？」沙僧道：「快起來！師父說有齋没齋也罷，教你我那裏尋下住處去哩。」呆子懵懵懂懂的，托着鉢盂，拑着釘鈀，與沙僧徑直回來。到林中看時，不見了師父。沙僧埋怨道：「都是你這呆子化齋不來，必有妖精拿師父也。」八戒笑道：「兄弟，莫要胡說。那林裏是個清雅的去處，決然没有妖精。想是老和尚坐不住，往那裏觀風去了。我們尋他去來。」二人只得牽馬挑擔，收拾了斗篷、錫杖，出松林尋找師父。

這一回，也是唐僧不該死。他兩個尋一會不見，忽見那正南下有金光閃灼。八戒道：「兄弟啊，有福的只是有福。你看師父往他家去了。那放光的是座寶塔。誰敢怠慢？一定要安排齋飯，留他在那裏受用。我們還不走動些，也趕上去吃些齋兒。」沙僧道：「哥啊，定不得吉凶哩。我們且去看來。」

二人雄糾糾的到了門前，呀！閉着門哩。祇見那門上横安了一塊白玉石板，上鎸着六個大字：「碗子山波月洞」。沙僧道：「哥啊，這不是甚麽寺院，是一座妖精洞府也。我師父在這裏，也見不得哩。」八戒道：「兄弟莫怕。你且拴下馬匹，守着行李，待我問他的信看。」

那呆子舉着鈀，上前高叫：「開門！開門！」那洞内有把門的小妖，開了門。忽見他兩個的模樣，急抽身，跑入裏面報道：「大王！買賣來了！」老妖道：「那裏買賣？」小妖道：「洞門外有一個長嘴大耳的和尚，與一個晦氣色的和尚，來叫門了！」老妖大喜道：「是猪八戒與沙僧尋將來也！——噫，他也會尋哩！怎麽就尋到我這門上？既然嘴臉兇頑，却莫要怠慢了他。」叫：「取披挂來！」小妖抬來，就結束了，綽刀在手，徑出門來。

却說那八戒、沙僧，在門前正等，祇見妖魔來得兇險。你道他怎生打扮：

青臉紅鬚赤髮飄，黄金鎧甲亮光鐃。裹肚襯腰石碟石帶，攀胸勒甲步雲縧。閑立山前風吼吼，悶遊海外浪滔滔。一雙藍靛焦筋手，執定追魂取命刀。要知此物名和姓，聲揚二字唤黄袍。

那黄袍老怪，出得門來，便問：「你是那方和尚，在我門首吆喝？」八戒道：「我兒子，你不認得？我是你老爺！我是大唐差往西天去的！我師父是那御弟三藏。若在你家裏，趁早送出來，省了我釘鈀築進去！」那怪笑道：「是，是，是有一個唐僧在我家。我也不曾怠慢他，安排些人肉包兒與他吃哩。你們也進去吃一個兒，何如？」

這呆子認真就要進去。沙僧一把扯住道：「哥啊，他哄你哩。你幾時又吃人肉哩？」呆子却纔省悟。掣釘鈀，望妖怪劈臉就築。那怪物側身躲過，使鋼刀急架相迎。兩個都顯神通，縱雲頭，跳在空中厮殺。沙僧撇了行李、白馬，舉寶杖，急急幫攻。此時兩個狠和尚，一個潑妖魔，在雲端裏，這一場好殺，正是那：

杖起刀迎，鈀來刀架。一員魔將施威，兩個神僧顯化。九齒鈀真個英雄，降妖杖誠然兇咤。没前後左右齊來，那黄袍公然不怕。你看他蘸鋼刀晃亮如銀，其實的那神通也為廣大。祇殺得滿空中，霧繞雲迷；半山裏，崖崩嶺咋。

一個爲聲名，怎肯幹休？一個爲師父，斷然不怕。

他三個在半空中，往往來來，戰經數十回合，不分勝負。各因性命要緊，其實難解難分。

畢竟不知怎救出唐僧，且聽下回分解。

總批：

心猿一放，就有許多磨折，可不慎之！真正衹有『敬』字打不破也。

第二十九回 脱難江流來國土 承恩八戒轉山林

詩曰：

妄想不復强滅，真如何必希求？本原自性佛前修，迷悟豈居前後？悟即刹那成正，迷而萬劫沉流。若能一念合真修，滅盡恒沙罪垢。

却説那八戒、沙僧與怪鬥經個三十回合，不分勝負。你道怎麽不分勝負？若論賭手段，莫説兩個和尚，就是二十個，也敵不過那妖精。衹爲唐僧命不該死，暗中有那護法神衹保着他；空中又有那六丁六甲、五方揭諦、四值功曹、一十八位護教伽藍，助着八戒、沙僧。

且不言他三人戰鬥。却説那長老在洞裏悲啼，思量他那徒弟。眼中流泪道：『悟能啊，不知你在那個村中逢了善友，貪着齋供；悟凈啊，你又不知在那裏尋他，可能得會？豈知我遇妖魔，在此受難！幾時得會你們，脱了大難，早赴靈山！』正當悲啼煩惱，忽見那洞内走出一個婦人來，扶着定魂樁，叫道：『那長老，你從何來？爲何被他縛在此處？』長老聞言，泪眼偷看，那婦人約有三十年紀。遂道：『女菩薩，不消問了。我已是該死的，走進你家門來也。要吃就吃了罷，又問怎的？』那婦人道：『我不是吃人的。我家離此西下，有三百餘裏。那裏有座城，叫做寶象國。我是那國王的第三個公主，乳名叫做百花羞。衹因十三年前，八月十五日夜，玩月中間，被這妖魔一陣狂風攝將來，與他做了十三年夫妻。在此生兒育女，杳無音信回朝。思量我那父母，不能相見。你從何來，被他拿住？』唐僧道：『貧僧乃是差往西天取經者。不期閑步，誤撞在此。如今要拿住我兩個徒弟，一齊蒸吃哩。』那公主陪笑道：『長老寬心。你既是取經的，我救得你。那寶象國是你西方去的大路。你與我捎一封書兒去，拜上我那父母，我就教他饒了你罷。』三藏點頭道：『女菩薩，若還救得貧僧命，願做捎書寄信人。』

那公主急轉後面，即修了一紙家書，封固停當，到樁前解放了唐僧，將書付與。唐僧得解脱，捧書在手道：『女

菩薩，多謝你活命之恩。貧僧這一去，過貴處，定送國王處。祗恐日久年深，你父母不肯相認，奈何？切莫怪我貧僧打了誑語。」公主道：「不妨，我父王無子，止生我三個姊妹，若見此書，必有相看之意。」三藏緊緊袖了家書，謝了公主，就往外走。被公主扯住道：「前門裏你出不去！那些大小妖精，都在門外摇旗吶喊，擂鼓篩鑼，助着大王，與你徒弟廝殺哩。你往後門裏去罷。若是大王拿住，還審問審問；祗恐小妖兒捉了，不分好歹，挾生兒傷了你的性命。等我去他面前，説個方便。若是大王放了你啊，待你徒弟討個示下，尋着你一同好走。」三藏聞言，磕了頭，謹依吩咐，辭別公主，躲離後門之外，不敢自行，將身藏在荆棘叢中。

却説公主娘娘，心生巧計，急往前來，出門外，分開了大小群妖，祗聽得叮叮噹噹，兵刃亂響。原來是八戒、沙僧與那怪在半空裏廝殺哩。這公主厲聲高叫道：「黄袍郎！」那妖王聽得公主叫唤，即丢了八戒，沙僧，按落雲頭，揪了鋼刀，攙着公主道：「渾家，有甚話説？」公主道：「郎君啊，我纔時睡在羅幃之内，夢魂中，忽見個金甲神人。」妖魔道：「那個金甲神？上我門怎的？」公主道：「是我幼時，在宫内，對神暗許下一椿心願：若得招個賢郎駙馬，上名山，拜仙府，齋僧佈施。自從配了你，夫妻們歡會，到今不曾題起。那金甲神人來討誓願，喝我醒來，却是南柯一夢。因此，急整容來郎君處訴知，不期那椿上綁着一個僧人，萬望郎君慈憫，看我薄意，饒了那個和尚罷。祗當與我齋僧還願。不知郎君肯否？」那怪道：「渾家，你却多心呐！甚麼打緊之事。我要吃人，那裏不撈幾個吃吃。這個把和尚，到得那裏，放他去罷。」公主道：「郎君，放他從後門裏去罷。」妖魔道：「奈煩哩。放他去便罷，又管他甚麼後門前門哩。」他遂綽了鋼刀，高叫道：「那猪八戒，你過來。我不是怕你，不與你戰，看着我渾家的分上，饒了你師父也。趁早去後門首，尋着他，往西方去罷。若再來犯我境界，斷乎不饒！」

那八戒與沙僧聞得此言，就如鬼門關上放回來的一般。即忙牽馬挑擔，鼠竄而行。轉過那波月洞，後門之外，叫聲「師父！」那長老認得聲音，就在那荆棘中答應。沙僧就剖開草徑，攙着師父，慌忙的上馬。這裏：

狠毒險遭青面鬼，殷勤幸有百花羞。鰲魚脱却金鈎釣，擺尾摇頭逐浪遊。

八戒當頭領路，沙僧後隨，出了那松林，上了大路。你看他兩個嚌嚌嘈嘈，埋埋怨怨，三藏只是解和。遇晚先投宿，鷄鳴早看天。一程一程，長亭短亭，不覺的就走了二百九十九里。猛抬頭，祗見一座好城，就是寶象國。真好個處所也：

雲渺渺，路迢迢；地雖千里外，景物一般饒。瑞靄祥煙籠罩，清風明月招摇。嵂嵂崒崒的遠山，大開圖畫；潺潺湲湲的流水，碎濺瓊瑶。可耕的連阡帶陌，足食的密蕙新苗。漁釣的幾家三澗曲，樵采的一擔兩峰椒。廓的廓，城的城，金湯鞏固；家的家，户的户，祇門逍遥。九重的高閣如殿宇，萬丈的層臺似錦標。也有那太極殿、華蓋殿、燒香殿、觀文殿、宣政殿、延英殿：一殿殿的玉陛金階，擺列着文冠武弁；也有那大明宫、昭陽宫、長樂宫、華清宫、建章宫、未央宫：一宫宫的鐘鼓管籥，撤抹了閨怨春愁。也有禁苑的，露花匀嫩臉；也有御溝的，風柳舞纖腰。通衢上，也有個頂冠束帶的，盛儀容，乘五馬；幽僻中，也有個持弓挾矢的，撥雲霧，貫雙雕。花柳的巷，管弦的樓，春風不讓洛陽橋。取經的長老，回首大唐肝膽裂；伴師的徒弟，息肩小驛夢魂消。

看不盡寶象國的景致。師徒三衆，收拾行李、馬匹，安歇館驛中。

唐僧步行至朝門外，對閣門大使道：「有唐朝僧人，特來面駕，倒换文牒。乞爲轉奏轉奏。」那黄門奏事官，連忙走至白玉階前奏道：「萬歲，唐朝有個高僧，欲求見駕，倒换文牒。」那國王聞知是唐朝大國，且又説是個方上聖僧，心中甚喜，即時准奏。叫：「宣他進來。」把三藏宣至金階，舞蹈山呼禮畢。兩邊文武多官，無不嘆道：「上邦人物，禮樂雍容如此！」那國王道：「長老，你到我國中何事？」三藏道：「小僧是唐朝釋子。承我天子敕旨，前往西方取經。原領有文牒，到陛下上國，理合倒换。故此不識進退，驚動龍顔。」國王道：「既有唐天子文牒，取上來看。」三藏雙手捧上去，展開放在御案上。牒云：

『南贍部洲大唐國奉天承運唐天子牒行：切惟朕以涼德，嗣續丕基，事神治民，臨深履薄，朝夕是惴。前者，失救涇河老龍，獲譴于我皇皇後帝，三魂七魄，倏忽陰司，已作無常之客。因有陽壽未絶，感冥君放送回生，廣陳善會，修建度亡道場。感蒙救苦觀世音菩薩，金身出現，指示西方有佛有經，可度幽亡，超脱孤魂。特着法師玄奘，遠歷千山，詢求經偈。倘到西邦諸國，不滅善緣，照牒放行。須至牒者。大唐貞觀一十三年，秋吉日，御前文牒。』（上有寶印九顆）

國王見了，取本國玉寶，用了花押，遞與三藏。

三藏謝了恩，收了文牒。又奏道：『貧僧一來倒換文牒，二來與陛下寄有家書。』國王大喜道：『有甚書？』三藏道：『陛下第三位公主娘娘，被碗子山波月洞黄袍妖攝將去，貧僧偶爾相遇，故寄書來也。』國王聞言，滿眼垂泪道：『自十三年前，不見了公主，兩班文武官，也不知貶退了多少；宫内宫外，大小婢子、太監，也不知打死了多少；祇説是走出皇宫，迷失路徑，無處找尋；滿城中百姓人家，也盤詰了無數，更無下落。怎知道是妖怪攝了去！今日乍聽得這句話，故此傷情流泪。』三藏袖中取出書來獻上。國王接了，見有『平安』二字，一發手軟，拆不開書。傳旨宣翰林院大學士上殿讀書。學士隨即上殿。殿前有文武多官，殿後有後妃宫女，俱側耳聽書。學士拆開朗誦。上寫着：

『不孝女百花羞頓首百拜大德父王萬歲龍鳳殿前，暨三宫母后昭陽宫下，及舉朝文武賢卿臺次：拙女幸託坤宫，感激劬勞萬種。不能竭力怡顔，盡心奉孝。乃于十三年前，八月十五日，良夜佳辰，蒙父王恩旨，着各宫排宴，賞玩月華，共樂清霄盛會。正歡娱之間，不覺一陣香風，閃出個金睛藍面青髮魔王，將女擒住，駕祥光，直帶至半野山中無人處。難分難辨，被妖倚强，霸佔爲妻。是以無奈捱了一十三年。産下兩個妖兒，盡是妖魔之種。論此真是敗壞人倫，有傷風化，不當傳書玷辱；但恐女死之後，不顯分明。正含怨思憶父母，不期唐朝聖僧，亦被魔王擒住。是女滴泪修書，大膽放脱，特託寄此片楮，以表寸心。伏望父王垂憫，遣上將早至碗子山波月洞捉獲黄袍怪，救女回朝，深爲恩念。草草欠恭，面聽不一。

逆女百花羞再頓首頓首。』

那學士讀罷家書，國王大哭，三宫滴泪，文武傷情，前前後後，無不哀念。

國王哭之許久，便問兩班文武：『那個敢興兵領將，與寡人捉獲妖魔，救我百花公主？』連問數聲，更無一人敢答。真是木雕成的武將，泥塑就的文官。那國王心生煩惱，泪若涌泉。祇見那多官齊俯伏奏道：『陛下且休煩惱。公主已失，至今一十三載無音，偶遇唐朝聖僧，寄書來此，未知的否。况臣等俱是凡人凡馬，習學兵書武略，止可佈陣安營，保國家無侵陵之患。那妖精乃雲來霧去之輩，不得與他覿面相見，何以征救？想東土取經者，乃上邦聖僧。這和尚「道高龍虎伏，德重鬼神欽」，必有降妖之術。自古道：「來説是非者，就是是非人。」可就請這長老降妖邪，救公主，庶爲萬全之策。』

那國王聞言，急回頭，便請三藏道：『長老若有手段，放法力，捉了妖魔，救我孩兒回朝，也不須上西方拜佛，長發留頭，朕與你結爲兄弟，同坐龍床，共享富貴如何？』三藏慌忙啓上道：『貧僧粗知念佛，其實不會降妖。』國王道：『你既不會降妖，怎麼敢上西天拜佛？』那長老瞞不過，説出兩個徒弟來了。奏道：『陛下，貧僧一人，實難到此。貧僧有兩個徒弟，善能逢山開路，遇水迭橋，保貧僧到此。』國王怪道：『你這和尚大没理。既有徒弟，怎麼不與他一同進來見朕？若到朝中，雖無中意賞賜，必有隨分齋供。』三藏道：『貧僧那徒弟醜陋，不敢擅自入朝，但恐驚傷了陛下的龍體。』國王笑道：『你看你這和尚説話，終不然朕當怕他？』三藏道：『不敢説。我那大徒弟姓猪，名悟能八戒。他生得長嘴獠牙，剛鬃扇耳，身粗肚大，行路生風。第二個徒弟姓沙，法名悟净和尚。他生得身長丈二，臂闊三停，臉如藍靛，口似血盆，眼光閃灼，牙齒排釘。他都是這等個模樣，所以不敢擅領入朝。』

國王道：『你既這等様説了一遍，寡人怕他怎的？宣進來。』隨即着金牌至館驛相請。

那呆子聽見來請，對沙僧道：『兄弟，你還不教下書哩。這才見了下書的好處。想是師父下了書，國王道：捎書人不可怠慢，一定整治筵宴待他，他的食腸不濟，有你我之心，舉出名來，故此着金牌來請。大家吃一頓，明日好行。』沙僧道：『哥啊，知道是甚緣故，我們且去來。』遂將行李、馬匹俱交付驛丞。各帶隨身兵器，隨金牌入朝。早行到白玉階前，左右立下，朝上唱個喏，再也不動。那文武多官，無人不怕。都説道：『這兩個和尚，貌醜也罷，只是粗俗太甚！怎麽見我王更不下拜，喏畢平身，挺然而立！可怪！可怪！』八戒聽見道：『列位，莫要議論。我們是這般。乍看果有些醜，只是看下些時來，却也耐看。』

那國王見他醜陋，已是心驚；及聽得那呆子説出話來，越發膽顫，就坐不穩，跌下龍床。幸有近侍官員扶起。慌得個唐僧，跪在殿前，不住的叩頭道：『陛下，貧僧該萬死！萬死！我説徒弟醜陋，不敢朝見，恐傷龍體，果然驚了駕也。』那國王戰兢兢，走近前，攙起道：『長老，還虧你先説過了；若未説，猛然見他，寡人一定唬殺了也！』國王定性多時，便問：『猪長老、沙長老，是那一位善于降妖？』那呆子不知好歹，答道：『老猪會降。』國王道：『怎麽家降？』八戒道：『我乃是天蓬元帥；衹因罪犯天條，墮落下世，幸今皈正爲僧。自從東土來此，第一會降妖的是我。』國王道：『既是天將臨凡，必然善能變化。』八戒道：『不敢，不敢，也將就曉得幾個變化兒。』國王道：『你試變一個我看看。』八戒道：『請出題目，照依様子好變。』國王道：『變一個大的罷。』

那八戒他也有三十六般變化，就在階前，賣弄手段，却便捻訣念咒，喝一聲叫『長！』把腰一躬，就長了有八九丈長，却似個開路神一般。嚇得那兩班文武，戰戰兢兢，一國君臣，呆呆掙掙。時有鎮殿將軍問道：『長老，似這等變得身高，必定長到甚麽去處，才有止極？』那呆子又説出呆話來道：『看風。東風猶可，西風也將就；若是南風起，把青天也拱個大窟窿！』那國王大驚道：『收了神通罷。』曉得是這般變化了。』八戒把身一矬，依然現了本相，侍立階前。

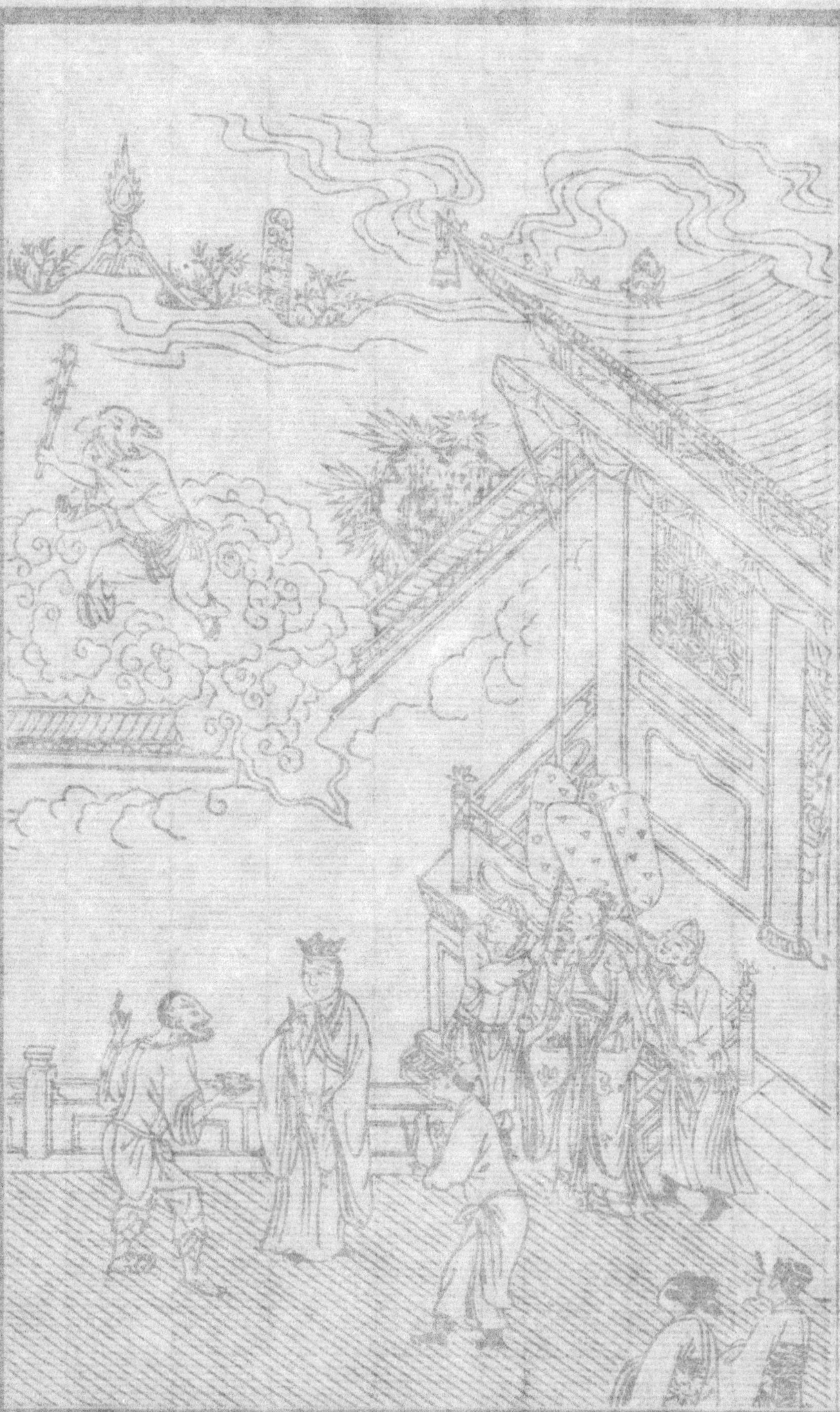

國王又問道：「長老此去，有何兵器與他交戰？」八戒腰裏掣出鈀來道：「老猪使的是釘鈀。」國王笑道：「可敗壞門面！我這裏有的是鞭、簡、瓜、鎚，刀、槍、鉞、斧，劍、戟、矛、鐮。隨你選稱手的拿一件去。那鈀算做甚麼兵器？」八戒道：「陛下不知。我這鈀，雖然粗夯，實是自幼隨身之器。曾在天河水府爲帥，轄押八萬水兵，全仗此鈀之力。今臨凡世，保護吾師，逢山築破虎狼窩，遇水掀翻龍蜃穴，皆是此鈀。」國王聞得此言，十分歡喜心信，即命九嬪妃子：「將朕親用的御酒，整瓶取來，權與長老送行。」遂滿斟一爵，奉與八戒道：「長老，這杯酒，聊引奉勞之意；待捉得妖魔，救回小女，自有大宴相酬，千金重謝。」那呆子接杯在手，人物雖是粗魯，行事倒有斯文，對三藏唱個大喏道：「師父，這酒本該從你飲起，但君王賜我，不敢違背，讓老猪先吃了，助助興頭，好捉妖怪。」那呆子一飲而乾，才斟一爵，遞與師父。三藏道：「我不飲酒，你兄弟們吃罷。」沙僧近前接了。八戒就足下生雲，直上空裏。國王見了道：「猪長老又會騰雲！」呆子去了，沙僧將酒亦一飲而乾，道：「師父！那黄袍怪拿住你時，我兩個與他交戰，衹戰個手平。今二哥獨去，恐戰不過他。」三藏道：「正是，徒弟啊，你可去與他幫幫功。」沙僧聞言，也縱雲跳將起去。那國王慌了，扯住唐僧道：「長老，你且陪寡人坐坐，也莫騰雲去了。」唐僧道：「可憐！可憐！我半步兒也去不得！」此時二人在殿上叙話不題。

却說那沙僧趕上八戒道：「哥哥，我來了。」八戒道：「兄弟，你來怎的？」沙僧道：「師父叫我來幫幫功的。」八戒大喜道：「説得是，來得好。我兩個努力齊心，去捉那怪物，雖不怎的，也在此國揚揚姓名。」你看他：

祥光辭國界，氤氳瑞氣出京城。
領王旨意來山洞，努力齊心捉怪靈。

他兩個不多時，到了洞口，按落雲頭。八戒掣鈀，往那波月洞的門上，盡力氣一築，把他那石門築了鬥來大小的個窟窿。唬得那把門的小妖開門，看見是他兩個，急跑進去報道：「大王，不好了！那長嘴大耳的和尚，與那晦氣臉的和尚，又來把門都打破了！」那怪驚道：「這個還是猪八戒、沙和尚二人。我饒了他師父，怎麼又敢復來打我的門！」小妖道：「想是忘了甚麼物件，來取的。」老怪咄的一聲道：「胡纏！忘了物件，就敢打上門來？必有緣故！」急整束了披挂，綽了鋼刀，走出來問道：「那和尚，我既饒了你師父，你怎麼又敢來打上我門？」八戒道：「你這潑怪幹得好事兒！」老魔道：「甚麼事？」八戒道：「你把寶象國三公主騙來洞內，倚强霸佔爲妻，住了一十三載，也該還他了。我奉國王旨意，特來擒你。你快快進去，自家把繩子綁縛出來，還免得老猪動手！」那老怪聞言，十分發怒。你看他屹迸迸，咬響鋼牙；滴溜溜，睁圓環眼；雄糾糾，舉起刀來；赤淋淋，攔頭便砍。八戒側身躲過，使釘鈀劈面迎來；隨後又有沙僧舉寶杖趕上前齊打。這一場在山頭上賭鬥，比前不同。真個是：

言差語錯招人惱，意毒情傷怒氣生。
這魔王大鋼刀，着頭便砍；那八戒九齒鈀，對面來迎。
沙悟凈丢開寶杖，那魔王抵架神兵。
一猛怪，二神僧，來來往往甚消停。
這個説：「你騙國理該死罪！」那個説：「你羅閑事報不平！」
這個説：「你强婚公主傷國體！」那個説：「不幹你事莫閑争！」
算來衹爲捎書故，致使僧魔兩不寧。

他們在那山坡前，戰經八九個回合，八戒漸漸不濟將來，釘鈀難舉，氣力不加。你道如何這等戰他不過？當時初相戰鬥，有那護法諸神，爲唐僧在洞，暗助八戒、沙僧，故僅得個手平；此時諸神都在寶象國護定唐僧，所以二人難敵。

那呆子道：「沙僧，你且上前來與他鬥着，讓老猪出恭來。」他就顧不得沙僧，一溜往那蒿草薜蘿，荆棘葛藤裏，不分好歹，一頓鑽進；那管刮破頭皮，搠傷嘴臉，一轂轆睡倒，再也不敢出來。但留半邊耳朵，聽着梆聲。那怪見八戒走了，就奔沙僧。沙僧措手不及，被怪一把抓住，捉進洞去。小妖將沙僧四馬攢蹄捆住。

畢竟不知端的性命如何，且聽下回分解。

總批：

一個百花羞便够斷送此魔矣，八戒、沙僧何必又多此閑事！〇那怪尚不是魔王，這百花羞真是個大魔王。人若不信，請各自思之，方知我不作誑語也。

第三十回 邪魔侵正法 意馬憶心猿

却説那怪把沙僧捆住，也不來殺他，也不曾打他，駡也不曾駡他一句。綽起鋼刀，心中暗想道：『唐僧乃上邦人物，必知禮義；終不然我饒了他性命，又着他徒弟拿我不成？——噫！這多是我渾家有甚麽書信到他那國裏，走了風汛！等我去問他一問。』那怪陡起兇性，要殺公主。

却説那公主不知，梳妝方畢，移步前來。衹見那怪怒目攢眉，咬牙切齒。那公主還陪笑臉迎道：『郎君有何事這等煩惱？』那怪咄的一聲罵道：『你這狗心賤婦，全没人倫！我當初帶你到此，更無半點兒説話。你穿的錦，戴的金，缺少東西我去尋。四時受用，每日情深。你怎麽衹想你父母，更無一點夫婦心？』那公主聞説，嚇得跪倒在地。道：『郎君啊，你怎麽今日説起這分離的話？』那怪道：『不知是我分離，是你分離哩！我把那唐僧拿來，算計要他受用，你怎麽不先告過我，就放了他？原來是你暗地裏修了書信，教他替你傳寄；不然，怎麽這兩個和尚又來打上我門，教還你回去？這不是你幹的事？』公主道：『郎君，你差怪我了。我何嘗有甚書去？』老怪道：『你還强嘴哩！現拿住一個對頭在此，却不是證見？』公主道：『是誰？』老妖道：『是唐僧第二個徒弟沙和尚。』——原來人到了死處，誰肯認死，只得與他放賴。公主道：『郎君且息怒，我和你去問他一聲。果然有書，就打死了，我也甘心；假若無書，却不枉殺了奴奴也？』那怪聞言，不容分説，輪開一隻簸箕大小的藍靛手，抓住那金枝玉葉的發萬根，把公主揪上前，捽在地下，執着鋼刀，却來審沙僧，咄的一聲道：『沙和尚！你兩個輒敢擅打上我們門來，可是這女子有書到他那國，國王教你們來的？』

沙僧已捆在那裏，見妖精兇惡之甚，把公主摜倒在地，持刀要殺。他心中暗想道：『分明是他有書去。——救了我師父。此是莫大之恩。我若一口説出，他就把公主殺了，此却不是恩將仇報？罷！罷！罷！想老沙跟我師父一場，也没寸功報效，今日已此被縛，就將此性命與師父報了恩罷。』遂喝道：『那妖怪不要無禮！他有甚麽書來，你這等枉他，要害他性命？我們來此問你要公主，有個緣故。衹因你把我師父捉在洞中，我師父曾看見公主的模樣動静。及至寶象國，倒换關文，那皇帝將公主畫影圖形，前後訪問。因將公主的形影，問我師父沿途可曾看見，我師父遂將公主説起，他故知是他兒女，賜了我等御酒，教我們來拿你，要他公主還宫。此情是實，何嘗有甚書信？你要殺就殺了我老沙，不可枉害平人，大虧天理！』

那妖見沙僧説得雄壯，遂丢了刀，雙手抱起公主道：『我一時粗鹵，多有衝撞，莫怪，莫怪。』遂與他挽了青絲，扶上寶髻，軟款温柔，怡顔悦色，撮哄着他進去了。又請上坐陪禮，那公主是婦人家水性，見他錯敬，遂回心轉意道：『郎君啊，你若念夫婦的恩愛，可把那沙僧的繩子略放鬆些兒。』老妖聞言，即命小的們把沙僧解了繩子，鎖在那裏。沙僧見解縛鎖住，立起來，心中暗喜道：『古人云：「與人方便，自己方便。」我若不方便了他，他怎肯教把我鬆放鬆放？』

那老妖又教安排酒席，與公主陪禮壓驚。吃酒到半酣，老妖忽的又换了一件鮮明的衣服，取了一口寶刀，佩在腰裏。轉過手，摸着公主道：『渾家，你且在家吃酒，看着兩個孩兒，不要放了沙和尚。趁那唐僧在那國裏，我也趕早兒去認認親也。』公主道：『你認甚親？』老妖道：『認你父王。我是他駙馬，他是我丈人，怎麽不去認認？』公主道：『你去不得。』老妖道：『怎麽去不得？』公主道：『我父王不是馬挣力戰的江山，他本是祖宗遺留的社稷。自幼兒是太子登基，城門也不曾遠出，没有你這等兇漢。你這嘴臉相貌，生得醜陋，若見了他，恐怕嚇了他，反爲不美；却不如不去認的還好。』老妖道：『既如此説，我變個俊的兒去便罷。』公主道：『你試變來我看看。』

好怪物，他在那酒席間，摇身一變，就變做一個俊俏之人。真個生得：

形容典雅，體段峥嶸。言語多官樣，行藏正妙齡。才如子建成詩易，貌似潘安擲果輕。頭上戴一頂鵲尾冠，烏雲斂伏；身上穿一件玉羅褶，廣袖飄迎。足下烏靴花折，腰間鷺帶光明。豐神真是奇男子，聳壑軒昂美俊英。

公主見了，十分歡喜。那妖笑道：「渾家，可是變得好麽？」公主道：「變得好！變得好！你這一進朝啊，我父王是親不滅，一定着文武多官留你飲宴。倘吃酒中間，千千仔細，萬萬個小心，却莫要現出原嘴臉來，露出馬脚走了風汛，就不斯文了。」老妖道：「不消吩咐，自有道理。」

你看他縱雲頭，早到了寶象國。按落雲光，行至朝門之外。對閤門大使道：「三駙馬特來見駕，乞爲轉奏轉奏。」那黄門奏事官來至白玉階前，奏道：「萬歲，有三駙馬來見駕，現在朝門外聽宣。」那國王正與唐僧叙話。忽聽得三駙馬，便問多官道：「寡人衹有兩個駙馬，怎麽又有個三駙馬？」多官道：「三駙馬，必定是妖怪來了。」國王道：「可好宣他進來？」那長老心驚道：「陛下，妖精啊，不精者不靈。他能知過去未來，他能騰雲駕霧，宣他也進來，不宣他也進來，倒不如宣他進來，還省些口面。」

國王准奏，叫宣，把妖宣至金階。他一般的也舞蹈山呼的行禮。多官見他生得俊麗，也不敢認他是妖精。他都是些肉眼凡胎，却當做好人。那國王見他聳壑昂霄，以爲濟世之梁棟。便問他：「駙馬，你家在那裏居住？是何方人氏？幾時得我公主配合？怎麽今日才來認親？」那老妖叩頭道：「主公，臣是城東碗子山波月洞人家。」國王道：「你那山離此處多遠？」老妖道：「不遠，衹有三百里。」國王道：「三百里路，我公主如何得到那裏，與你匹配？」那妖精巧語花言，虚情假意的答道：「主公，微臣自幼兒好習弓馬，采獵爲生。那十三年前，帶領家童數十，放鷹逐犬，忽見一隻斑斕猛虎，身馱着一個女子，往山坡下走。是微臣兜弓一箭，射倒猛虎，將女子帶上本莊，把温水温湯灌醒，救了他性命。因問他是那裏人家，他更不曾題「公主」二字。早説是萬歲的三公主，怎敢欺心，擅自配合？當得進上金殿，大小討一個官職榮身。衹因他説是民家之女，才被微臣留在莊所。女貌郎才，兩相情願，故配合至此多年。當時配合之後，欲將那虎宰了，邀請諸親，却是公主娘娘教且莫殺。其不殺之故，有幾句言詞，道得甚好。説道：

托天托地成夫婦，無媒無證配婚姻。
前世赤繩曾繫足，今將老虎做媒人。

臣因此言，故將虎解了索子，饒了他性命。那虎帶着箭傷，跑蹄剪尾而去。不知他得了性命，在那山中，修了這幾年，煉體成精，專一迷人害人。臣聞得昔年也有幾次取經的，都説是大唐來的唐僧；想是這虎害了唐僧，得了他文引，變作那取經的模樣，今在朝中哄騙主公。主公啊，那綉墩上坐的，正是那十三年前馱公主的猛虎，不是真正取經之人！」

你看那水性的君王，愚迷肉眼，不識妖精，轉把他一片虚詞，當了真實。道：「賢駙馬，你怎的認得這和尚是馱公主的老虎？」那妖道：「主公，臣在山中，吃的是老虎，穿的也是老虎，與他同眠同起，怎麽不認得？」國王道：「你既認得，可教他現出本相來看。」怪物道：「借半盞净水，臣就教他現了本相。」國王命官取水，遞與駙馬。那怪接水在手，縱起身來，走上前，使個「黑眼定身法」。念了咒語，將一口水望唐僧噴去，叫聲「變！」那長老的真身，隱在殿上，真個變作一隻斑斕猛虎。此時君臣同眼觀看，那衹虎生得：

白額圓頭，花身電目。四衹蹄，挺直峥嶸；二十爪，鈎彎鋒利。鋸牙包口，尖耳連眉。獰猙壯若大猫形，猛烈雄如黄犢樣。剛鬚直直插銀條，刺舌騂騂噴噁氣。果然是隻猛斑斕，陣陣威風吹寶殿。

國王一見，魄散魂飛。唬得那多官盡皆躲避。有幾個大膽的武將，領着將軍、校尉一擁上前，使各項兵器亂砍。這一番，不是唐僧該有命不死，就是二十個僧人，也打爲肉醬。此時幸有丁甲、揭諦、功曹、護教諸神，暗在半空中護佑，所以那些人，兵器皆不能打傷。衆臣嚷到天晚，才把那虎活活的捉了。用鐵繩鎖了，放在鐵籠裏，收于朝房之内。

那國王却傳旨，教光禄寺大排筵宴，謝駙馬救拔之恩。不然，險被那和尚害了。當晚衆臣朝散，那妖魔進了銀安殿。

又選十八個宮娥彩女，吹彈歌舞，勸妖魔飲酒作樂。那怪物獨坐上席，左右排列的，都是那艷質嬌姿。你看他受用。飲酒至二更時分，醉將上來，忍不住胡爲。跳起身，大笑一聲，現了本相。陡發兇心，伸開簸箕大手，把一個彈琵琶的女子，抓將過來，扢咋的把頭咬了一口。嚇得那十七個宮娥，没命的前後亂跑亂藏。你看那：

宫娥悚懼，彩女忙驚。宫娥悚懼，一似雨打芙蓉籠夜雨；彩女忙驚，就如風吹芍藥舞春風。捽碎琵琶顧命，跌傷琴瑟逃生。出門那分南北，離殿不管西東。磕損玉面，撞破嬌容。人人逃命走，各各奔殘生。

那些人出去，又不敢吆喝。夜深了，又不敢驚駕。都躲在那短墻檐下，戰戰兢兢不題。

却説那怪物坐在上面，自斟自酌。喝一盞，扳過人來，血淋淋的啃上兩口。他在裏面受用，外面人盡傳道：『唐僧是個虎精！』亂傳亂嚷，嚷到金亭館驛。此時驛裏無人，止有白馬在槽上吃草吃料。他本是西海小龍王，因犯天條，鋸角退鱗，變白馬，馱唐僧往西方取經。忽聞人講唐僧是個虎精，他也心中暗想道：『我師父分明是個好人，必然被怪把他變做虎精，害了師父。怎的好！怎的好！大師兄去得久了，八戒、沙僧，又無音信！』他衹挨到二更時分，萬籟無聲，却纔跳將起來道：『我今若不救唐僧，這功果休矣！休矣！』他忍不住，頓絶繮繩，抖鬆鞍轡，急縱身，忙顯化，依然化作龍。駕起烏雲，直上九霄空裏觀看。有詩爲證。詩曰：

三藏西來拜世尊，途中偏有惡妖氛。今宵化虎災難脱，白馬垂繮救主人。

小龍王在半空裏，衹見銀安殿内，燈燭輝煌。原來那八個滿堂紅上，點着八根蠟燭。低下雲頭，仔細看處，那妖魔獨自個在上面，逼法的飲酒吃人肉哩。小龍笑道：『這厮不濟！走了馬脚，識破風汛，躧匾秤鉈了吃人，可是個長進的！却不知我師父下落何如，倒遇着這個潑怪。且等我去戲他一戲。若得手，拿住妖精再救師父不遲。』好龍王，他就摇身一變，也變做個宫娥。真個身體輕盈，儀容嬌媚。忙移步走入裏面，對妖魔道聲萬福：『駙馬啊，你莫傷我性命，我來替你把盞。』那妖道：『斟酒來。』小龍接過壺來，將酒斟在他盞中，酒比鐘高出三五分來，更不漫出。這是小龍使的『逼水法』。那怪見了不識，心中喜道：『你有這般手段？』小龍道：『還斟得有幾分高哩。』那怪道：『再斟上！再斟上！』他舉着壺，衹情斟，那酒衹情高，就如十三層寶塔一般，尖尖滿滿，更不漫出些須。那怪物伸過嘴來，吃了一鐘，扳着死人，吃了一口。道：『會唱麽？』小龍道：『也略曉得些兒。』依腔韵唱了一個小曲，又奉了一鐘。那怪道：『你會舞麽？』小龍道：『也略曉些兒；但只是素手，舞得不好看。』那怪揭起衣服，解下腰間所佩寶劍，掣出鞘來，遞與小龍。小龍接了刀，就留心，在那酒席前，上三下四，左五右六，丢開了花刀法。

那怪看得眼咤，小龍丢了花字，望妖精劈一刀來。好怪物，側身躲過，慌了手脚，舉起一根滿堂紅，架住寶刀。那滿堂紅原是熟鐵打造的，連柄有八九十斤。兩個出了銀安殿，小龍現了本相，却駕起雲頭，與那妖魔在那半空中相殺。這一場，黑地裏好殺！怎見得：

那一個是碗子山生成的怪物，這一個是西洋海罰下的真龍。一個放毫光，如噴白電；一個生鋭氣，如迸紅雲。一個好似白牙老象走人間，一個就如金爪狸猫飛下界。一個是擎天玉柱，一個是架海金梁。銀龍飛舞，黄鬼翻騰。左右寶刀無怠慢，往來不歇滿堂紅。

他兩個在雲端裏，戰够八九回合，小龍的手軟筋麻，老魔的身强力壯。小龍抵敵不住，飛起刀去，砍那妖怪，妖怪有接刀之法，一隻手接了寶刀，一隻手抛下滿堂紅便打，小龍措手不及，被他把後腿上着了一下。急慌慌按落雲頭，多虧了御水河救了性命。小龍一頭鑽下水去。那妖魔趕來尋他不見，執了寶刀，拿了滿堂紅，回上銀安殿，照舊吃酒睡覺不題。

却説那小龍潛于水底，半個時辰聽不見聲息，方纔咬着牙，忍着腿疼跳將起去，踏着烏雲，徑轉館驛。還變作依舊馬匹，伏于槽下。可憐渾身是水，腿有傷痕。那時節：

意馬心猿都失散，金公木母盡雕零。黄婆傷損通分別，道義消疏怎得成！

且不言三藏逢灾，小龍敗戰。却説那猪八戒，從離了沙僧，一頭藏在草科裏，拱了一個猪渾塘。這一覺，直睡到半夜時候才醒。醒來時，又不知是甚麽去處，摸摸眼，定了神思，側耳才聽，噫！正是那山深無犬吠，野曠少鷄鳴。他見那星移斗轉，約莫有三更時分，心中想道：『我要回救沙僧，誠然是「單絲不綫，孤掌難鳴。」……罷！罷！罷！我且進城去見了師父，奏准當今，再選些驍勇人馬，助着老猪明日來救沙僧罷。』

那呆子急縱雲頭，徑回城裏。半霎時，到了館驛。此時人静月明，兩廊下尋不見師父。衹見白馬睡在那廂，渾身水濕，後腿有盤子大小一點青痕。八戒失驚道：『雙晦氣了！這亡人又不曾走路，怎麽身上有汗，腿有青痕？想是歹人打劫師父，把馬打壞了。』

那白馬認得是八戒，忽然口吐人言，叫聲『師兄！』這呆子嚇了一跌。扒起來，往外要走，被那馬探探身，一口咬住皂衣，道：『哥啊，你莫怕我。』八戒戰兢兢的道：『兄弟，你怎麽今日説起話來了？你但説話，必有大不祥之事。』小龍道：『你知師父有難麽？』八戒道：『我不知。』小龍道：『你是不知！你與沙僧在皇帝面前弄了本事，思量拿倒妖魔，請功求賞，不想妖魔本領大，你們手段不濟，禁他不過。好道着一個回來，説個信息是，却更不聞音。那妖精變做一個俊俏文人，撞入朝中，與皇帝認了親眷。把我師父變作一個斑斕猛虎，見被衆臣捉住，鎖在朝房鐵籠裏面。我聽得這般苦惱，心如刀割。你兩日又不在不知，恐一時傷了性命，只得化龍身去救，不期到朝裏，又尋不見師父。及到銀安殿外，遇見妖精，我又變做個宫娥模樣，哄那怪物。那怪叫我舞刀他看，遂爾留心，砍他一刀，早被他閃過，雙手舉個滿堂紅，把我戰敗。我又飛刀砍去，他又把刀接了，捽下滿堂紅，把我後腿上着了一下；故此鑽在御水河，逃得性命。腿上青是他滿堂紅打的。』

八戒聞言道：『真個有這樣事？』小龍道：『莫成我哄你了！』八戒道：『怎的好！怎的好！你可掙得動麽？』

小龍道：『我掙得動便怎的？』八戒道：『你掙得動，便掙下海去罷。把行李等老猪挑去高老莊上，回爐做女婿去呀。』小龍聞説，一口咬住他直裰子，那裏肯放。止不住眼中滴泪道：『師兄啊！你千萬休生懶惰！』八戒道：『不懶惰便怎麽？沙兄弟已被他拿住，我是戰不過他，不趁此散火，還等甚麽？』

小龍沉吟半晌，又滴泪道：『師兄啊，莫説散火的話。若要救得師父，你衹去請個人來。』八戒道：『教我請誰麽？』小龍道：『你趁早兒駕雲回上花果山，請大師兄孫行者來。他還有降妖的大法力，管尋救了師父，也與你我報得這敗陣之仇。』八戒道：『兄弟，另請一個兒便罷了。那猴子與我有些不睦。前者在白虎嶺上，打殺了那白骨夫人，他怪我攛掇師父念《緊箍兒咒》。我也衹當耍子，不想那老和尚當真的念起來，就把他趕逐回去。他不知怎麽樣的惱我。他也決不肯來。倘或言語上，略不相對，他那哭喪棒又重，假若不知高低，撈上幾下，我怎的活得成麽？』小龍道：『他決不打你。他是個有仁有義的猴王。你見了他，且莫説師父有難，衹説：「師父想你哩。」把他哄將來，到此處，見這樣個情節，他必然不忿，斷乎要與那妖精比并，管情拿得那妖精，救得我師父。』八戒道：『也罷，也罷。你倒這等盡心，我若不去，顯得我不盡心了。我這一去，果然行者肯來，我就與他一路來了；他若不來，你却也不要望我，我也不來了。』小龍道：『你去，你去，管情他來也。』

真個呆子收拾了釘鈀，整束了直裰，跳將起去，踏着雲，徑往東來。這一回，也是唐僧有命。那呆子正遇順風，撑起兩個耳朵，好便似風篷一般，早過了東洋大海，按落雲頭。不覺的太陽星上，他却入山尋路。

正行之際，忽聞得有人言語。八戒仔細看時，原來是行者在山凹裏，聚集群妖。他坐在一塊石頭崖上，面前有一千二百多猴子，分序排班，口稱『萬歲！大聖爺爺！』八戒道：『且是好受用！且是好受用！怪道他不肯做和尚，衹要來家哩！原來有這些好處，許大的家業，又有這多的小猴伏侍！若是老猪有這一座山場，也不做甚麽和尚了。如今既到這裏，却怎麽好？必定要見他一見是。』那呆子有些怕他，又不敢明明的見他，却往草崖邊，溜阿溜的，

溜在那一千二三百猴子當中擠着，也跟那些猴子磕頭。

不知孫大聖坐得高，眼又乖滑，看得他明白。便問：「那班部中亂拜的是個夷人。是那裏來的？拿上來！」說不了，那些小猴，一窩蜂，把個八戒推將上來，按倒在地。行者道：「你是那裏來的夷人？」八戒低着頭道：「不敢，承問了；不是夷人，是熟人，熟人。」行者道：「我這大聖的部下群猴，都是一般模樣。你這嘴臉生得各樣，相貌有些雷堆，定是別處來的妖魔。既是別處來的，若要投我部下，先來遞個脚色手本，報了名字，我好留你在這隨班點紮。若不留你，你敢在這裏亂拜！」八戒低着頭，拱着嘴道：「不羞！就拿出這副嘴臉來了！我和你兄弟也做了幾年，又推認不得，說是甚麽夷人！」行者笑道：「擡起頭來我看。」那呆子把嘴往上一伸道：「你看麽！你認不得我，好道認得嘴耶！」行者忍不住笑道：「猪八戒。」他聽見一聲叫，就一轂轆跳將起來道：「正是！正是！我是猪八戒！」他又思量道：「認得就好說話了。」

行者道：「你不跟唐僧取經去，却來這裏怎的？想是你衝撞了師父，師父也貶你回來了？有甚貶書，拿來我看。」八戒道：「不曾衝撞他。他也没甚麽貶書，也不曾趕我。」行者道：「既無貶書，又不曾趕你，你來我這裏怎的？」八戒道：「師父想你，着我來請你的。」行者道：「他也不請我，他也不想我。他那日對天發誓，親筆寫了貶書，怎麽又肯想我，又肯着你遠來請我？我斷然也是不好去的。」八戒就地扯個謊，忙道：「委是想你！委是想你！」行者道：「他怎的想我來？」八戒道：「師父在馬上正行，叫聲「徒弟」，我不曾聽見，沙僧又推耳聾；師父就想起你來，說我們不濟，說你還是個聰明伶俐之人，常時聲叫聲應，問一答十。因這般想你，專專教我來請你的。萬望你去走走，一則不孤他仰望之心，二來也不負我遠來之意。」

行者聞言，跳下崖來，用手攙住八戒道：「賢弟，累你遠來，且和我要要兒去。」八戒道：「哥啊，這個所在路遠，恐師父盼望去遲，我不要子了。」行者道：「你也是到此一場，看看我的山景何如。」那呆子不敢苦辭，只得隨他走走。

二人携手相攙，概衆小妖隨後，上那花果山極巔之處。好山！自是那大聖回家，這幾日，收拾得復舊如新。但見那：

青如削翠，高似摩雲。周圍有虎踞龍蟠，四面多猿啼鶴唳。朝出雲封山頂，暮觀日挂林間。流水潺潺鳴玉珮，澗泉滴滴奏瑤琴。山前有崖峰峭壁，山後有花木秾華。上連玉女洗頭盆，下接天河分派水。乾坤結秀賽蓬萊，清濁育成真洞府。丹青妙筆畫時難，仙子天機描不就。玲瓏怪石石玲瓏，玲瓏結彩嶺頭峰。日影動千條紫艷，瑞氣搖萬道紅霞。洞天福地人間有，遍山新樹與新花。

八戒觀之不盡，滿心歡喜道：「哥啊，好去處！果然是天下第一名山！」行者道：「賢弟，可過得日子麽？」八戒笑道：「你看師兄說的話。寶山乃洞天福地之處，怎麽說度日之言也？」二人談笑多時，下了山。衹見路旁有幾個小猴，捧着紫巍巍的葡萄，香噴噴的梨棗，黄森森的枇杷，紅艷艷的楊梅，跪在路旁，叫道：「大聖爺爺，請進早膳。」行者笑道：「我猪弟食腸大，却不是以果子作膳的。——也罷，也罷，莫嫌菲薄，將就吃個兒當點心罷。」八戒道：「我雖食腸大，却也隨鄉入鄉是。拿來，拿來，我也吃幾個兒嘗新。」

二人吃了果子，漸漸日高。那呆子恐怕誤了救唐僧，衹管催促道：「哥哥，師父在那裏盼望我和你哩。望你和我早早兒去罷。」行者道：「賢弟，請你往水簾洞裏去要要。」八戒堅辭道：「多感老兄盛意。奈何師父久等，不勞進洞罷。」行者道：「既如此，不敢久留，請就此處奉别。」八戒道：「哥哥，你不去了？」行者道：「我往那裏去？我這裏，天不收，地不管，自由自在，不要子兒，做甚麽和尚？我是不去，你自去罷。但上復唐僧：既趕退了，再莫想我。」呆子聞言，不敢苦逼，衹恐逼發他性子，一時打上兩棍。無奈，只得喏喏告辭，找路而去。

行者見他去了，即差兩個溜撒的小猴，跟着八戒，聽他說些甚麽。真個那呆子下了山，不上三四里路，回頭指着行者，口裏駡道：「這個猴子，不做和尚，倒做妖怪！這個猢猻！我好意來請他，他却不去！——你不去便罷！」走幾步，又駡幾聲。那兩個小猴，忽跑回來報道：「大聖爺爺，那猪八戒不大老實，他走走兒，駡幾聲。」行者大

怒。叫：『拿將來！』那衆猴滿地飛來趕上，把個八戒，扛翻倒了，抓鬃扯耳，拉尾揪毛，捉將回去。

畢竟不知怎麼處治，性命死活若何，且聽下回分解。

總批：

唐僧化虎，白馬變龍，都是文心極靈極妙，文筆極奇極幻處。做舉子業的秀才，如何有此？有此亦爲龍虎矣。

○或戲曰：變老虎是和尚家衣鉢，有甚奇處？爲之絶倒。

第三十一回　豬八戒義釋猴王　孫行者智降妖怪

義結孔懷，法歸本性。金順木馴成正果，心猿木母合丹元。共登極樂世界，同來不二法門。經乃修行之總徑，佛配自己之元神。兄和弟會成三契，妖與魔色應五行。剪除六門趣，即赴大雷音。

却說那呆子被一窩猴子捉住了，扛抬扯拉，把一件直裰子揪破。口裏勞勞叨叨的，自家念誦道：『罷了！罷了！這一去有個打殺的情了！』不一時，到洞口。那大聖坐在石崖之上，罵道：『你這饢糠的夯貨！你去便罷了，怎麼罵我？』八戒跪在地下道：『哥啊，我不曾罵你；若罵你，就嚼了舌頭根。我祇說哥哥不去，我自去報師父便了。怎敢罵你？』行者道：『你怎麼瞞得過我？我這左耳往上一扯，曉得三十三天人說話；我這右耳往下一扯，曉得十代閻王與判官算賬。你今走路把我罵，我豈不聽見？』八戒道：『哥啊，我曉得。你賊頭鼠腦的，一定又變作個甚麼東西兒，跟着我聽的。』行者叫：『小的們，選大棍來！先打二十個見面孤拐，再打二十個背花，然後等我使鐵棒與他送行！』八戒慌得磕頭道：『哥哥，千萬看師父面上，饒了我罷！』行者道：『我想那師父好仁義兒哩！』八戒又道：『哥哥，不看師父啊，請看海上菩薩之面，饒了我罷！』

行者見說起菩薩，却有三分兒轉意道：『兄弟，既這等說，我且不打你。你却老實說，不要瞞我。那唐僧在那裏有難，你却來此哄我？』八戒道：『哥哥，没甚難處，實是想你。』行者罵道：『這個好打的夯貨！你怎麼還要者囂？我老孫身回水簾洞，心逐取經僧。那師父步步有難，處處該災。你趁早兒告誦我，免打！』八戒聞得此言，叩頭上告道：『哥啊，分明要瞞着你，請你去的，不期你這等樣靈。饒我打，放我起來說罷。』行者道：『也罷，起來說。』衆猴撒開手，那呆子跳得起來，兩邊亂張。行者道：『你張甚麼？』八戒道：『看看那條路兒空闊，好跑。』行者道：『你跑到那裏？我就讓你先走三日，老孫自有本事趕轉你來！快早說來！這一惱發我的性子，斷不饒你！』八戒道：『實不瞞哥哥說。自你回後，我與沙僧，保師父前行。祇見一座黑松林，師父下馬，教我化齋。我

因許遠，無一個人家，辛苦了，略在草裏睡睡。不想沙僧別了師父，又來尋我。你曉得師父没有坐性；他獨步林間玩景，出得林，見一座黄金寶塔放光，他衹當寺院，不期塔下有個妖精，名唤黄袍，被他拿住。後邊我與沙僧回尋，止見白馬、行囊，不見師父，隨尋至洞口，與那怪厮殺。師父在洞，幸虧了一個救星。原是寶象國王第三個公主，被那怪攝來者。他修了一封家書，託師父寄去，遂説方便，解放了師父。到了國中，遞了書子，那國王就請師父降妖，取回公主。哥啊，你曉得，那老和尚可會降妖？我二人復去與戰。不知那怪神通廣大，將沙僧又捉了。我敗陣而走，伏在草中。那怪變做個俊俏文人入朝，與國王認親，把師父變作老虎。又虧了白龍馬夜現龍身，去尋師父。師父倒不曾尋見，却遇着那怪在銀安殿飲酒。他變一宫娥，與他巡酒、舞刀，欲乘機而砍，反被他用滿堂紅打傷馬腿。就是他教我來請師兄的，説道：「師兄是個有仁有義的君子。君子不念舊惡，一定肯來救師父一難。」萬望哥哥念「一日爲師，終身爲父」之情，千萬救他一救！」

行者道：『你這個呆子！我臨別之時，曾叮嚀又叮嚀，説道：「若有妖魔捉住師父，你就説老孫是他大徒弟。」怎麽却不説我？』八戒又思量道：『請將不如激將，等我激他一激。』道：『哥啊，不説你還好哩；衹爲説你，他一發無狀！』行者道：『怎麽説？』八戒道：『我説：「妖精，你不要無禮，莫害我師父！我還有個大師兄，叫做孫行者。他神通廣大，善能降妖。他來時教你死無葬身之地！」那怪聞言，越加忿怒，罵道：「是個甚麽孫行者，我可怕他！他若來，我剥了他皮，抽了他筋，啃了他骨，吃了他心！——饒他猴子瘦，我也把他剁鮓着油烹！」』行者聞言，就氣得抓耳撓腮，暴躁亂跳道：『是那個敢這等罵我？』八戒道：『哥哥息怒，是那黄袍怪這等罵來，我故學與你聽也。』行者道：『賢弟，你起來。不是我去不成；既是妖精敢罵我，我就不能不降他。我和你去。老孫五百年前大鬧天宫，普天的神將看見我，一個個控背躬身，口口稱呼大聖。這妖怪無禮，他敢背前面後罵我！我這去，把他拿住，碎屍萬段，以報罵我之仇！報畢，我即回來。』八戒道：『哥哥，正是。你衹去拿了妖精，報了你仇，那時來與不來，任從尊命。』

那大聖才跳下崖，撞入洞裏，脱了妖衣。整一整錦直裰，束一束虎皮裙，執了鐵棒，徑出門來。慌得那群猴攔住道：『大聖爺爺，你往那裏去？帶挈我們耍子幾年也好。』行者道：『小的們，你説那裏話？我保唐僧的這樁事，天上地下，都曉得孫悟空是唐僧的徒弟。他倒不是趕我回來，倒是教我來家看看，送我來家自在耍子。如今衹因這件事，——你們却都要仔細看守家業，依時插柳栽松，毋得廢墜。——待我還去保唐僧，取經回東土。功成之後，仍回來與你們共樂天真。』衆猴各各領命。

那大聖才和八戒携手駕雲，離了洞，過了東洋大海，至西岸，住雲光，叫道：『兄弟，你且在此慢行，等我下海去净净身子。』八戒道：『忙忙的走路，且净甚麽身子？』行者道：『你那裏知道。我自從回來，這幾日弄得身上有些妖精氣了。師父是個愛乾净的，恐怕嫌我。』八戒于此始識得行者是片真心，更無他意。

須臾洗畢，復駕雲西進。衹見那金塔放光。八戒指道：『那不是黄袍怪家？沙僧還在他家裏。』行者道：『你在空中，等我下去看看那門前如何，好與妖精見陣。』八戒道：『不要去，妖精不在家。』行者道：『我曉得。』

好猴王，按落祥光，徑至洞門外觀看。衹見有兩個小孩子，在那裏使彎頭棍，打毛球，搶窩耍子哩。一個有十來歲，一個有八九歲了。正戲處，被行者趕上前，也不管他是張家李家的，一把抓着頂搭子，提將過來。那孩子吃了唬，口裏夾罵帶哭的亂嚷，驚動那波月洞的小妖，急報與公主道：『奶奶，不知甚人把二位公子搶去也！』原來那兩個孩子是公主與那怪生的。

公主聞言，忙忙走出洞門來。衹見行者提着兩個孩子，站在那高崖之上，意欲往下摜。慌得那公主厲聲高叫道：『那漢子，我與你没甚相幹，怎麽把我兒子拿去？他老子利害，有些差錯，决不與你幹休！』行者道：『你不認得我？我是那唐僧的大徒弟孫悟空行者。我有個師弟沙和尚在你洞裏。你去放他出來，我把這兩個孩兒還你。似這

般兩個換一個，還是你便宜。』

那公主聞言，急往裏面，喝退那幾個把門的小妖，親動手，把沙僧解了。沙僧道：『公主，你莫解我：恐你那怪來家，問你要人，帶累你受氣。』公主道：『長老啊，你是我的恩人，你替我折辯了家書，救了我一命，我也留心放你；不期洞門之外，你有個大師兄孫悟空來了，叫我放你哩。』

噫！那沙僧一聞孫悟空的三個字，好便似醍醐灌頂，甘露滋心。一面天生喜，滿腔都是春。也不似聞得個人來，就如拾着一方金玉一般。你看他捽手拂衣，走出門來，對行者施禮道：『哥哥，你真是從天而降也！萬乞救我一救！』行者笑道：『你這個沙尼！師父念《緊箍兒咒》，可肯替我方便一聲？都弄嘴施展！要保師父，如何不走西方路，却在這裏「蹲」甚麽？』沙僧道：『哥哥，不必説了。君子人既往不咎。我等是個敗軍之將，不可語勇，救我救兒罷！』行者道：『你上來。』沙僧才縱身跳上石崖。

却説那八戒停立空中，看見沙僧出洞，即按下雲頭，叫聲『沙兄弟，心忍！心忍！』沙僧見身道：『二哥，你從那裏來？』八戒道：『我昨日敗陣，夜間進城，會了白馬，知師父有難，被黄袍使法，變做個老虎。那白馬與我商議，請師兄來的。』行者道：『呆子，且休叙闊，把這兩個孩子，你抱着一個，先進那寶象城去激那怪來，等我在這裏打他。』沙僧道：『哥啊，怎麽樣激他？』行者道：『你兩個駕起雲，站在那金鑾殿上，莫分好歹，把那孩子往那白玉階前一摜。有人問你是甚人，你便説是黄袍妖精的兒子，被我兩個拿將來也。那怪聽見，管情回來，我却不須進城與他鬥了。若在城上厮殺，必要噴雲噯霧，播土揚塵，驚擾那朝廷與多官黎庶，俱不安也。』八戒笑道：『哥哥，你但幹事，就左我們。』行者道：『如何爲左你？』八戒道：『這兩個孩子，被你抓來，已此唬破膽了，這一會聲都哭啞，再一會必死無疑；我們拿他往下一摜，摜做個肉陀子，那怪趕上肯放？定要我兩個償命。你却還不是個乾净人？——連見證也没你，你却不是左我們？』行者道：『他若扯你，你兩個就與他打將這裏來。這裏有戰場寬闊，我在此等候打他。』沙僧道：『正是，正是。大哥説得有理。我們去來。』他兩個才倚仗威風，將孩子拿去。

行者即跳下石崖，到他塔門之下。那公主道：『你這和尚，全無信義：你説放了你師弟，就與我孩兒，怎麽你師弟放去，把我孩兒又留，反來我門首做甚？』行者陪笑道：『公主休怪。你來的日子已久，帶你令郎去認他外公去哩。』公主道：『和尚莫無禮。我那黄袍郎比衆不同。你若唬了我的孩兒，與他柳柳驚是。』

行者笑道：『公主啊，爲人生在天地之間，怎麽便是得罪？』公主道：『我曉得。』行者道：『你女流家，曉得甚麽？』公主道：『我自幼在宫，曾受父母教訓。記得古書云：「五刑之屬三千，而罪莫大于不孝。」』行者道：『你正是個不孝之人。蓋「父兮生我，母兮鞠我。哀哀父母，生我劬勞！」故孝者，百行之原，萬善之本，却怎麽將身陪伴妖精，更不思念父母？非得不孝之罪，如何？』公主聞此正言，半晌家耳紅面赤，慚愧無地。忽失口道：『長老之言最善。我豈不思念父母？祇因這妖精將我攝騙在此，他的法令又謹，我的步履又難，路遠山遥，無人可傳音信。欲要自盡，又恐父母疑我逃走，事終不明。故没奈何，苟延殘喘，誠爲天地間一大罪人也！』説罷，泪如泉涌。行者道：『公主不必傷悲。猪八戒曾告訴我，説你有一封書，曾救了我師父一命，你書上也有思念父母之意。老孫來，管與你拿了妖精，帶你回朝見駕，别尋個佳偶，侍奉雙親到老。你意如何？』公主道：『和尚啊，你莫要尋死。昨者你兩個師弟，那樣好漢，也不曾打得過我黄袍郎。你這般一個筋多骨少的瘦鬼，一似個螃蟹模樣，骨頭都長在外面，有甚本事，你敢説拿妖魔之話？』行者笑道：『你原來没眼色，認不得人。俗語雲：「尿泡雖大無斤兩，秤鉈雖小壓千斤。」他們相貌，空大無用：走路抗風，穿衣費布，種火心空，頂門腰軟，吃食無功。咱老孫小自小，筋節。』那公主道：『你真個有手段麽？』行者道：『我的手段，你是也不曾看見。絶會降妖，極能伏怪。』公主道：『你却莫誤了我耶。』行者道：『决然誤你不得。』公主道：『你既會降妖伏怪，如今却怎樣拿他？』行者説：『你且回避回避，莫在我這眼前：倘他來時，不好動手脚，祇恐你與他情濃了，捨不得他。』公主

道：『我怎的捨不得他？其稽留于此者，不得已耳！』行者道：『你與他做了十三年夫妻，豈無情意？我若見了他，不與他兒戲，一棍便是一棍，一拳便是一拳，須要打倒他，才得你回朝見駕。』

那公主果然依行者之言，往僻靜處躲避。也是他姻緣該盡，故遇着大聖來臨。那猴王把公主藏了，他却摇身一變，就變做公主一般模樣，回轉洞中，專候那怪。

却説八戒、沙僧，把兩個孩子，拿到寶象國中，往那白玉階前摔下，可憐都摜做個肉餅相似，鮮血迸流，骨骸粉碎。慌得那滿朝多官報道：『不好了！不好了！天上摜下兩個人來了！』八戒厲聲高叫道：『那孩子是黄袍妖精的兒子，被老猪與沙弟拿將來也！』

那怪還在銀安殿，宿酒未醒。正睡夢間，聽得有人叫他名字，他就翻身，抬頭觀看，衹見那雲端裏是猪八戒、沙和尚二人吆喝。妖怪心中暗想道：『猪八戒便也罷了；沙和尚是我綁在家裏，他怎麽得出來？我的渾家，怎麽肯放他？我的孩兒，怎麽得到他手？這怕是猪八戒不得我出去與他交戰，故將此計來羈我。我若認了這個泛頭，就與他打啊，噫！我却還害酒哩！假若被他筑上一鈀，却不滅了這個威風，識破了那個關竅，——且等我回家看看，是我的兒子，不是我的兒子，再與他説話不遲。』

好妖怪，他也不辭王駕，轉山林，徑去洞中查信息。此時朝中已知他是個妖怪了。原來他夜裏吃了一個宫娥，還有十七個脱命去的，五更時，奏了國王，説他如此如此。又因他不辭而去，越發知他是怪。那國王即着多官看守着假老虎不題。

却説那怪徑回洞口。行者見他來時，設法哄他，把眼擠了一擠，撲簌簌淚如雨落，兒天兒地的，跌脚捶胸，于此洞裏嚎啕痛哭。那怪一時間，那裏認得。上前摟住道：『渾家，你有何事，這般煩惱？』那大聖編成的鬼話，捏出的虚詞，泪汪汪的告道：『郎君啊！常言道：「男子無妻財没主，婦女無夫身落空！」你昨日進朝認親，怎不回來？今早被猪八戒劫了沙和尚，又把我兩個孩兒搶去，是我苦告，更不肯饒。他説拿去朝中認認外公。這半日不見孩兒，又不知存亡如何，你又不見來家，教我怎生割捨？故此止不住傷心痛哭。』那怪聞言，心中大怒道：『真個是我的兒子？』行者道：『正是，被猪八戒搶去了。』

那妖魔氣得亂跳道：『罷了！罷了！我兒被他摜殺了！已是不可活也！只好拿那和尚來與我兒子償命報仇罷！渾家，你且莫哭。你如今心裏覺道怎麽？且醫治一醫治。』行者道：『我不怎的，只是捨不得孩兒，哭得我有些心疼。』妖魔道：『不打緊，你請起來，我這裏有件寶貝，衹在你那疼上摸一摸兒，就不疼了。却要仔細，休使大指兒彈着；若使大指兒彈着啊，就看出我本相來了。』行者聞言，心中暗笑道：『這潑怪，倒也老實；不動刑法，就自家供了。等他拿出寶貝來，我試彈他一彈，看他是個甚麽妖怪。』

那怪携着行者，一直行到洞裏深遠密閉之處。却從口中吐出一件寶貝，有鷄子大小，是一顆舍利子玲瓏内丹。行者心中暗喜道：『好東西耶！這件物不知打了多少坐工，煉了幾年磨難，配了幾轉雌雄，煉成這顆内丹舍利。今日大有緣法，遇着老孫。』那猴子拿將過來，那裏有甚麽疼處，特故意摸了一摸，一指頭彈將去。那妖慌了，劈手來搶。你思量，那猴子好不溜撒，把那寶貝一口吸在肚裏。那妖魔揝着拳頭就打，被行者一手隔住，把臉抹了一抹，現出本相，道聲『妖怪！不要無禮！你且認認看！我是誰？』

那妖怪見了，大驚道：『呀！渾家，你怎麽拿出這一副嘴臉來耶？』行者罵道：『我把你這個潑怪！誰是你渾家？連你祖宗也還不認得哩？』那怪忽然省悟道：『我像有些認得你哩。』行者道：『我且不打你，你再認認看。』那怪道：『我雖見你眼熟，一時間却想不起姓名。你果是誰？從那裏來的？你把我渾家估倒在何處，却來我家詐誘我的寶貝？着實無禮！可惡！』行者道：『你是也不認得我。我是唐僧的大徒弟，叫做孫悟空行者。——我是你五百年前的舊祖宗哩！』那怪道：『没有這話！没有這話！我拿住唐僧時，止知他有兩個徒弟，叫做猪八戒、沙和尚，何曾

見有人說個姓孫的。你不知是那裏來的個怪物，到此騙我！』行者道：『我不曾同他二人來，——是我師父因老孫慣打妖怪，殺傷甚多，他是個慈悲好善之人，將我逐回，故不曾同他一路行走。你是不知你祖宗姓名。』那怪道：『你好不丈夫啊！既受了師父趕逐，却有甚麼嘴臉，又來見人！』行者道：『你這個潑怪，豈知「一日爲師，終身爲父」，「父子無隔宿之仇」！你傷害我師父，我怎麼不來救他？你害他便也罷，却又背前面後罵我，是怎的說？』妖怪道：『我何嘗罵你？』行者道：『是猪八戒說的。』那怪道：『你不要信他。那個猪八戒，尖着嘴，有些會說老婆舌頭，你怎聽他？』行者道：『且不必講此閑話。祇說老孫今日到你家裏，你好怠慢了遠客。雖無酒饌款待，頭却是有的。快快將頭伸過來，等老孫打一棍兒，當茶！』那怪聞得說打，呵呵大笑道：『孫行者，你差了計較了！你既說要打，不該跟我進來。我這裏大小群妖，還有百十。饒你滿身是手，也打不出我的門去。』行者道：『不要胡說！莫說百十個，就有幾千，幾萬，祇要一個個查明白了好打，棍棍無空，教你斷根絶跡！』

那怪聞言，急傳號令，把那山前山後群妖，洞裏洞外諸怪，一齊點起，各執器械，把那三四層門，密密攔阻不放。行者見了，滿心歡喜，雙手理棍，喝聲叫『變！』變的三頭六臂；把金箍棒幌一幌，變做三根金箍棒。你看他六隻手，使着三根棒，一路打將去，好便似虎入羊群，鷹來鷄柵；可憐那小怪，湯着的，頭如粉碎；刮着的，血似水流！——往來縱橫，如入無人之境。止剩一個老妖，趕出門來罵道：『你這潑猴，其實憊懶！怎麼上門子欺負人家！』行者急回頭，用手招呼道：『你來！你來！打倒你，才是功績！』

那怪物舉寶刀，分頭便砍；好行者，掣鐵棒，覿面相迎。這一場，在那山頂上，半雲半霧的殺哩：

大聖神通大，妖魔本事高。這個橫理生金棒，那個斜舉蘸鋼刀。悠悠刀起明霞亮，輕輕棒架彩雲飄。往來護頂翻多次，反復渾身轉數遭。一個隨風更面目，一個立地把身搖。那個大睜火眼伸猿膊，這個明幌金睛折虎腰。你來我去交鋒戰，刀迎棒架不相饒。猴王鐵棍依三略，怪物鋼刀按六韜。一個慣行手段爲魔主，一個廣施法力保唐僧。猛烈的猴王添猛烈，英豪的怪物長英豪。死生不顧空中打，都爲唐僧拜佛遥。

他兩個戰有五六十合，不分勝負。行者心中暗喜道：『這個潑怪，他那口刀，倒也抵得住老孫的這根棒。等老孫丟個破綻與他，看他可認得。』好猴王，雙手舉棍，使一個『高探馬』的勢子。那怪不識是計，見有空兒，舞着寶刀，徑奔下三路砍；被行者急轉個『大中平』，挑開他那口刀，又使個『葉底偷桃勢』，望妖精頭頂一棍，就打得他無影無踪。急收棍子看處，不見了妖精。行者大驚道：『我兒啊，不禁打，就打得不見了。果是打死，好道也有些膿血，如何没一毫踪影？想是走了。』——急縱身跳在雲端裏看處，四邊更無動靜。——『老孫這雙眼睛，不管那裏一抹都見，却怎麼走得這等溜撒？——我曉得了：那怪說有些兒認得我，想必不是凡間的怪，多是天上來的精。』

那大聖一時忍不住怒發，揝着鐵棒，打個筋斗，祇跳到南天門上。慌得那龐、劉、苟、畢、張、陶、鄧、辛等衆，兩邊躬身控背，不敢攔阻，讓他打入天門，直至通明殿下。早有張、葛、許、邱四大天師問道：『大聖何來？』行者道：『因保唐僧至寶象國，有一妖魔，欺騙國女，傷害吾師，老孫與他賭鬥。正鬥間，不見了這怪。想那怪不是凡間之怪，多是天上之精，特來查勘，那一路走了甚麼妖神。』天師聞言，即進靈霄殿上啓奏，蒙差查勘九曜星官、十二元辰、東西南北中央五斗、河漢群辰、五嶽四瀆、普天神聖都在天上，更無一個敢離方位。又查那斗牛宫外，二十八宿，顛倒祇有二十七位，内獨少了奎星。

天師回奏道：『奎木狼下界了。』玉帝道：『多少時不在天了？』天師道：『四卯不到。三日點卯一次，今已十三日了。』玉帝道：『天上十三日，下界已是十三年。』即命本部收他上界。

那二十七宿星員，領了旨意，出了天門，各念咒語，驚動奎星。你道他在那裏躲避？他原來是孫大聖大鬧天宫時打怕了的神將，閃在那山澗裏潛灾，被水氣隱住妖雲，所以不曾看見他。他聽得本部星員念咒，方敢出頭，隨衆上界。被大聖攔住天門要打，幸虧衆星勸住，押見玉帝。那怪腰間取出金牌，在殿下叩頭納罪。玉帝道：『奎

木狼，上界有無邊的勝景，你不受用，却私走一方，何也？』奎宿叩頭奏道：『萬歲，赦臣死罪。那寶象國王公主，非凡人也。他本是披香殿侍香的玉女，因欲與臣私通，臣恐點污了天宮勝境，他思凡先下界去，託生于皇宮內院，是臣不負前期，變作妖魔，佔了名山，攝他到洞府，與他配了一十三年夫妻。一飲一啄，莫非前定。今被孫大聖到此成功。』玉帝聞言，收了金牌，貶他去兜率宮與太上老君燒火，帶俸差操，有功復職，無功重加其罪。行者見玉帝如此發放，心中歡喜。朝上唱個大喏，又向衆神道：『列位，起動了。』天師笑道：『那個猴子還是這等村俗。替他收了怪神，也倒不謝天恩，却就是唱喏而退。』玉帝道：『只得他無事，落得天上清平是幸。』

那大聖按落祥光，徑轉碗子山波月洞，尋出公主。將那思凡下界收妖的言語正然陳訴。祇聽得半空中八戒、沙僧厲聲高叫道：『師兄，有妖精，留幾個兒我們打耶。』行者道：『妖精已盡絶矣。』沙僧道：『既把妖精打絶，無甚挂礙，將公主引入朝中去罷。不要睁眼。兄弟們，使個縮地法來。』

那公主祇聞得耳內風響，霎時間徑回城裏。他三人將公主帶上金鑾殿上。那公主恭拜了父王、母後，會了姊妹，各官俱來拜見。那公主才啓奏道：『多虧孫長老法力無邊，降了黄袍怪，救奴回國。』那國王問曰：『黄袍是個甚怪？』行者道：『陛下的駙馬，是上界的奎星；令愛乃侍香的玉女，因思凡降落人間，不非小可，都因前世前緣，該有這些姻眷。那怪被老孫上天宮啓奏玉帝，玉帝查得他四卯不到，下界十三日，就是十三年了，——蓋天上一日，下界一年。——隨差本部星宿，收他上界，貶在兜率宮立功去訖；老孫却救得令愛來也。』那國王謝了行者的恩德，便教：『看你師父去來。』

他三人徑下寶殿，與衆官到朝房裏，抬出鐵籠，將假虎解了鐵索。別人看他是虎，獨行者看他是人。原來那師父被妖術魘住，不能行走，心上明白，只是口眼難開。行者笑道：『師父啊，你是個好和尚，怎麼弄出這般個惡模樣來也？你怪我行兇作惡，趕我回去，你要一心向善，怎麼一旦弄出個這等嘴臉？』八戒道：『哥啊，救他救兒罷。不要祇管揭挑他了。』行者道：『你凡事攛唆，是他個得意的好徒弟，你不救他，又尋老孫怎的？——原與你說來，待降了妖精，報了罵我之仇，就回去的。』沙僧近前跪下道：『哥啊，古人云：「不看僧面看佛面。」兄長既是到此，萬望救他一救。若是我們能救，也不敢許遠的來奉請你也。』行者用手挽起道：『我豈有安心不救之理？快取水來。』那八戒飛星去驛中，取了行李、馬匹，將紫金鉢盂取出，盛水半盂，遞與行者。行者接水在手，念動真言，望那虎劈頭一口噴上，退了妖術，解了虎氣。

長老現了原身，定性睁睛，才認得是行者。一把攙住道：『悟空！你從那裏來也？』沙僧侍立左右，把那請行者，降妖精，救公主，解虎氣，并回朝上項事，備陳了一遍。三藏謝之不盡，道：『賢徒，虧了你也！虧了你也！這一去，早詣西方，徑回東土，奏唐王，你的功勞第一。』行者笑道：『莫説！莫説！但不念那話兒，足感愛厚之情也。』國王聞此言，又勸謝了他四衆。整治素筵，大開東閣。他師徒受了皇恩，辭王西去。國王又率多官遠送。這正是：

君回寶殿定江山，僧去雷音參佛祖。

畢竟不知此後又有甚事，幾時得到西天，且聽下回分解。

總評：

可笑奎木狼不到天上點卯，反在公主處點卯。或戲曰：『世上有那一個不在老婆處點卯的？』爲之噴飯滿案。

第三十二回 平頂山功曹傳信 蓮花洞木母逢災

話說唐僧復得了孫行者，師徒們一心同體，共詣西方。自寶象國救了公主，承君臣送出城西。說不盡沿路飢餐渴飲，夜住曉行。却又值三春景候。那時節：

輕風吹柳綠如絲，佳景最堪題。時催鳥語，暖烘花發，遍地芳菲。海棠庭院來雙燕，正是賞春時。紅塵紫陌，綺羅弦管，斗草傳卮。

師徒們正行賞間，又見一山擋路。唐僧道：「徒弟們仔細。前遇山高，恐有虎狼阻擋。」行者道：「師父，出家人莫說在家話。你記得那烏巢和尚的《心經》雲「心無挂礙，無挂礙，方無恐怖，遠離顛倒夢想」之言？但只是「掃除心上垢，洗净耳邊塵。不受苦中苦，難爲人上人。」你莫生憂慮，但有老孫，就是塌下天來，可保無事。怕甚麽虎狼！」長老勒回馬道：

「我當年奉旨出長安，祇憶西來拜佛顔。舍利國中金象彩，浮屠塔裏玉毫斑。尋窮天下無名水，歷遍人間不到山。逐逐煙波重迭迭，幾時能夠此身閑？」

行者聞說，笑呵呵道：「師要身閑，有何難事？若功成之後，萬緣都罷，諸法皆空。那時節，自然而然，却不是身閑也？」長老聞言，只得樂以忘憂。放轡催銀驄，兜繮趲玉龍。

師徒們上得山來，十分險峻，真個嵯峨。好山：

巍巍峻嶺，削削尖峰。灣環深澗下，孤峻陡崖邊。灣環深澗下，祇聽得唿喇喇戲水蟒翻身；孤峻陡崖邊，但見那崒嵂嵂山林虎剪尾。往上看，巒頭突兀透青霄；回眼觀，壑下深沉鄰碧落。上高來，似梯似凳；下低行，如塹如坑。真個是古怪巔峰嶺，果然是連尖削壁崖。巔峰嶺上，采藥人尋思怕走；削壁崖前，打柴夫寸步難行。胡羊野馬亂攛梭，狡兔山牛如佈陣。山高蔽日遮星斗，時逢妖獸與蒼狼。草徑迷漫難進馬，怎得雷音見佛王？

長老勒馬觀山，正在難行之處。祇見那綠莎坡上，佇立着一個樵夫。你道他怎生打扮：

頭戴一頂老藍氈笠，身穿一領毛皂衲衣。老藍氈笠，遮煙蓋日果稀奇；毛皂衲衣，樂以忘憂真罕見。手持鋼斧快磨明，刀伐乾柴收束緊。擔頭春色，幽然四序融融；身外閑情，常是三星淡淡。到老祇于隨分過，有何榮辱暫關山？

那樵子：

正在坡前伐朽柴，忽逢長老自東來。停柯住斧出林外，趨步將身上石崖。

對長老厲聲高叫道：「那西進的長老！暫停片時。我有一言奉告：此山有一伙毒魔狠怪，專吃你東來西去的人哩。」

長老聞言，魂飛魄散，戰兢兢坐不穩雕鞍。急回頭，忙呼徒弟道：「你聽那樵夫報道：「此山有毒魔狠怪。」誰敢去細問他一問？」行者道：「師父放心，等老孫去問他一個端的。」

好行者，拽開步，徑上山來，對樵子叫聲「大哥」，道個問訊。樵夫答禮道：「長老啊，你們有甚緣故來此？」行者道：「不瞞大哥說，我們是東土差來西天取經的。那馬上是我的師父。他有些膽小。適蒙見教，說有甚麽毒魔狠怪，故此我來奉問一聲：那魔是幾年之魔，怪是幾年之怪？還是個把勢，還是個雛兒？煩大哥老實說說，我好着山神、土地遞解他起身。」

樵子聞言，仰天大笑道：「你原來是個風和尚。」行者道：「我不風啊，這是老實話。」樵子道：「你說是老實，便怎敢說把他遞解起身？」行者道：「你這等長他那威風，胡言亂語的攔路報信，莫不是與他有親？不親必鄰，不鄰必友。」樵子笑道：「你這個風潑和尚，忒没道理。我倒是好意，特來報與你們。教你們走路時，早晚間防備，你倒轉賴在我身上。且莫說我不曉得妖魔出處，就曉得啊，你敢把他怎麽的遞解？解往何處？」行者道：「若是天魔，

解與玉帝；若是土魔，解與土府。西方的歸佛，東方的歸聖。北方的解與真武，南方的解與火德。是蛟精解與海主，是鬼祟解與閻王。各有地頭方向。我老孫到處裏人熟，發一張批文，把他連夜解着飛跑。」

那樵子止不住呵呵冷笑道：「你這個風潑和尚，想是在方上雲遊，學了些書符咒水的法術，祇可驅邪縛鬼，還不曾撞見這等狠毒的怪哩。」行者道：「怎見他狠毒？」樵子道：「此山經過有六百里遠近，名喚平頂山。山中有一洞，名喚蓮花洞。洞裏有兩個魔頭，他畫影圖形，要捉和尚，抄名訪姓，要吃唐僧。你若別處來的還好，但犯了一個「唐」字兒，莫想去得，去得！」行者道：「我們正是唐朝來的。」樵子道：「他正要吃你們哩。」行者道：「造化！造化！但不知他怎的樣吃哩？」樵子道：「你要他怎的吃？」行者道：「若是先吃頭，還好耍子；若是先吃脚，就難爲了。」樵子道：「先吃頭怎麽説？先吃脚怎麽説？」行者道：「你還不曾經着哩。若是先吃頭，一口將他咬下，我已死了，憑他怎麽煎炒熬煮，我也不知疼痛；若是先吃脚，他啃了孤拐，嚼了腿亭，吃到腰截骨，我還急忙不死，却不是零零碎碎受苦？此所以難爲也。」樵子道：「和尚，他那裏有這許多工夫，只是把你拿住，捆在籠裏，囫圇蒸吃了！」行者笑道：「這個更好！更好！疼倒不忍疼，只是受些悶氣罷了。」樵子道：「和尚不要調嘴。那妖怪隨身有五件寶貝，神通極大極廣。就是擎天的玉柱，架海的金梁，若保得唐朝和尚去，也須要發發昏是。」行者道：「發幾個昏麽？」樵子道：「要發三四個昏是。」行者道：「不打緊，不打緊。我們一年，常發七八百個昏兒，這三四個昏兒易得發，發發兒就過去了。」

好大聖，全然無懼，一心只是要保唐僧，捽脱樵夫，拽步而轉。徑至山坡馬頭前道：「師父，没甚大事。有便有個把妖精兒，只是這裏人膽小，放他在心上。有我哩，怕他怎的？走路！走路！」長老見説，只得放懷隨行。

正行處，早不見了那樵夫。長老道：「那報信的樵子如何就不見了？」八戒道：「我們造化低，撞見日裏鬼了。」行者道：「想是他鑽進林子裏尋柴去了。等我看看來。」好大聖，睜開火眼金睛，漫山越嶺的望處，却無踪跡。忽抬頭往雲端裏一看，看見是日值功曹，他就縱雲趕上，罵了幾聲「毛鬼！」道：「你怎麽有話不來直説，却那般變化了，演樣老孫？」慌得那功曹施禮道：「大聖，報信來遲，勿罪，勿罪。那怪果然神通廣大，變化多端。祇看你騰那乖巧，運動神機，仔細保你師父；假若怠慢了些兒，西天路莫想去得。」

行者聞言，把功曹叱退，切切在心。按雲頭，徑來山上。祇見長老與八戒、沙僧，簇擁前進。他却暗想：「我若把功曹的言語實實告誦師父，師父他不濟事，必就哭了；假若不與他實説，夢着頭，帶着他走，常言道：『乍入蘆圩，不知深淺。』——倘或被妖魔撈去，却不又要老孫費心？……且等我照顧八戒一照顧，先着他出頭與那怪打一仗看。若是打得過他，就算他一功；若是没手段，被怪拿去，等老孫再去救他不遲，却好顯我本事出名。」正自家計較，以心問心道：「祇恐八戒躲懶便不肯出頭。師父又有些護短。等老孫羈勒他羈勒。」

好大聖，你看他弄個虛頭，把眼揉了一揉，揉出些泪來。迎着師父，往前徑走。八戒看見，連忙叫：「沙和尚，歇下擔子，拿出行李來，我兩個分了罷！」沙僧道：「二哥，分怎的？」八戒道：「分了罷！你往流沙河還做妖怪，老豬往高老莊上盼盼渾家。把白馬賣了，買口棺木，與師父送老，大家散火。還往西天去哩？」長老在馬上聽見。道：「這個夯貨！正走路，怎麽又胡説了？」八戒道：「你兒子便胡説！你不看見孫行者那裏哭將來了？他是個鑽天入地，斧砍火燒，下油鍋都不怕的好漢；如今戴了個愁帽，泪汪汪的哭來，必是那山險峻，妖怪兇狠。似我們這樣軟弱的人兒，怎麽去得？」長老道：「你且休胡談。待我問他一聲，看是怎麽説話。」

問道：「悟空，有甚話當面計較。你怎麽自家煩惱？這般樣個哭包臉，是虎唬我也？」行者道：「師父啊，剛纔那個報信的，是日值功曹。他説妖精兇狠，此處難行，果然的山高路峻，不能前進。改日再去罷。」長老聞言，恐惶悚懼，扯住他虎皮裙子道：「徒弟呀，我們三停路已走了停半，因何説退悔之言？」行者道：「我没個不盡心的。但祇恐魔多力弱，行勢孤單。縱然是塊鐵，下爐能打得幾根釘？」長老道：「徒弟啊，你也説得是。果然一個人也難。

兵書云：「寡不可敵衆。」我這裏還有八戒、沙僧，都是徒弟，憑你調度使用，或爲護將幫手，協力同心，掃清山徑，領我過山，却不都還了正果？」

那行者這一場扭捏，衹逗出長老這幾句話來。他揾了泪道：「師父啊，若要過得此山，須是猪八戒依得我兩件事兒，才有三分去得；假若不依我言，替不得我手，半分兒也莫想過去。」八戒道：「師兄，不去就散火罷。不要攀我。」長老道：「徒弟，且問你師兄，看他教你做甚麼。」呆子真個對行者説道：「哥哥，你教我做甚事？」行者道：「第一件是看師父，第二件是去巡山。」八戒道：「看師父是坐，巡山去是走，終不然教我坐一會又走，走一會又坐。兩處怎麼顧盼得來？」行者道：「不是教你兩件齊幹，只是領了一件便罷。」八戒又笑道：「這等也好計較。但不知看師父是怎樣，巡山是怎樣？你先與我講講，等我依個相應些兒的去幹罷。」行者道：「看師父啊：師父去出恭，你伺候；師父要走路，你扶持；師父要吃齋，你化齋。若他餓了些兒，你該打；黄了些兒臉皮，你該打；瘦了些兒形骸，你該打。」八戒慌了道：「這個難！難！難！伺候扶持，通不打緊，就是不離身馱着，也還容易；假若教我去鄉下化齋，他這西方路上，不識我是取經的和尚，衹道是那山裏走出來的一個半壯不壯的健猪，伙上許多人，叉鈀掃帚，把老猪圍倒，拿家去宰了，腌着過年，這個却不就遭瘟了？」行者道：「巡山去罷。」八戒道：「巡山便怎麼樣兒？」行者道：「就入此山，打聽有多少妖怪，是甚麼山，是甚麼洞，我們好過去。」八戒道：「這個小可，老猪去巡山罷。」那呆子就撒起衣裙，挺着釘鈀，雄糾糾，徑入深山！氣昂昂，奔上大路。

行者在旁，忍不住嘻嘻冷笑。長老罵道：「你這個潑猴！兄弟們全無愛憐之意，常懷嫉妒之心。你做出這樣獐智，巧言令色，撮弄他去甚麼巡山，却又在這裏笑他？」行者道：「不是笑他。我這笑中有味。你看猪八戒這一去，決不巡山，也不敢見妖怪，不知往那裏去躲閃半會，捏出個謊來，哄我們也。」長老道：「你怎麼就曉得他？」行者道：「我估出他是這等。不信，等我跟他去看看，聽他一聽：一則幫副他手段降妖，二來看他可有個誠心拜佛。」長老道：「好！好！好！你却莫去捉弄他。」行者應諾了。徑直趕上山坡，摇身一變，變作個蟭蟟蟲兒。其實變得輕巧。但見他：

翅薄舞風不用力，腰尖細小如針。穿蒲抹草過花陰，疾似流星還甚。眼睛明映映，聲氣渺喑喑。昆蟲之類惟他小，亭亭款款機深。幾番閑日歇幽林，一身渾不見，千眼莫能尋。

嚶的一翅飛將去，趕上八戒，釘在他耳朵後面鬃根底下。那呆子衹管走路，怎知道身上有人，行有七八里路，把釘鈀撇下，吊轉頭來，望着唐僧，指手畫脚的罵道：「你罷軟的老和尚，捉掐的弼馬温，面弱的沙和尚！他都在那裏自在，捉弄我老猪來蹌路！大家取經，都要望成正果，偏是教我來巡甚麼山？哈！哈！哈！曉得有妖怪，躲着些兒走。還不够一半，却教我去尋他，這等晦氣哩！我往那裏睡覺去，睡一覺回去，含含糊糊的答應他，衹説是巡了山，就了其賬也。」那呆子一時間僥倖，搴着鈀，又走。衹見山凹裏一彎紅草坡，他一頭鑽得進去，使釘鈀撲個地鋪，轂轆的睡下。把腰伸了一伸，道聲「快活！就是那弼馬温，也不得像我這般自在！」原來行者在他耳根後，句句兒聽着哩；忍不住，飛將起來，又捉弄他一捉弄。又摇身一變，變作個啄木蟲兒。但見：

鐵嘴尖尖紅溜，翠翎艶艶光明。一雙鋼爪利如釘，腹餒何妨林静。最愛枯槎朽爛，偏嫌老樹伶仃。圜睛决尾性丢靈，辟剥之聲堪聽。

這蟲鷖不大不小的，上秤稱，衹有二三兩重。紅銅嘴，黑鐵脚，刷刺的一翅飛下來。那八戒丢倒頭，正睡着了，被他照嘴唇上扢揸的一下。那呆子慌得爬將起來，口裏亂嚷道：「有妖怪！有妖怪！把我戳了一槍去了！嘴上好不疼呀！」伸手摸摸，泱出血來了。他道：「蹭蹬啊！我又没甚喜事，怎麼嘴上挂了紅耶？」他看着這血手，口裏絮絮叨叨的兩邊亂看，却不見動静，道：「無甚妖怪，怎麼戳我一槍麼？」忽抬頭往上看時，原來是個啄木蟲，在半空中飛哩。呆子咬牙罵道：「這個亡人！弼馬温欺負我罷了，你也來欺負我！——我曉得了。他一定不認我

是個人，衹把我嘴當一段黑朽枯爛的樹，內中生了蟲，尋蟲兒吃的，將我啄了這一下也。等我把嘴揣在懷裏睡罷。』那呆子轂轆的依然睡倒。行者又飛來，着耳根後又啄了一下。呆子慌得爬起來道：『這個亡人，却打攪得我狠！想必這裏是他的窠巢，生蛋佈雛，怕我佔了，故此這般打攪。罷！罷！罷！不睡他了！』搴着鈀，徑出紅草坡，找路又走。可不喜壞了孫行者，笑倒個美猴王。行者道：『這夯貨大睜着兩個眼，連自家人也認不得！』

好大聖，搖身又一變，還變做個蟭蟟蟲，釘在他耳朵後面，不離他身上。那呆子入深山，又行有四五里，衹見山凹中有桌面大的四四方方三塊青石頭。呆子放下鈀，對石頭唱個大喏。行者暗笑道：『這呆子！石頭又不是人，又不會説話，又不會還禮，唱他喏怎的，可不是個瞎帳？』原來那呆子把石頭當着唐僧、沙僧、行者三人，朝着他演習哩。他道：『我這回去，見了師父，若問有妖怪，就説有妖怪。他問甚麼山，——我若説是泥捏的，土做的，錫打的，銅鑄的，面蒸的，紙糊的，筆畫的，他們見説我呆哩，若講這話，一發説呆了；我衹説是石頭山。他問甚麼洞，也衹説是石頭洞。他問甚麼門，却説是釘釘的鐵葉門。他問裏邊有多遠，衹説入內有三層。——十分再搜尋，問門上釘子多少，衹説老猪心忙記不真。此間編造停當，哄那弼馬温去！』

那呆子捏合了，拖着鈀，徑回本路。怎知行者在耳朵後，一一聽得明白。行者見他回來，即騰兩翅預先回去。現原身，見了師父。師父道：『悟空，你來了，悟能怎不見回？』行者笑道：『他在那裏編謊哩。就待來也。』長老道：『他兩個耳朵蓋着眼，愚拙之人也，他會編甚麼謊？又是你捏合甚麼鬼話賴他哩。』行者道：『師父，你只是這等護短。這是有對問的話。』把他那鑽在草裏睡覺，被啄木蟲叮醒，朝石頭唱喏，編造甚麼石頭山、石頭洞、鐵葉門、有妖精的話，預先説了。

説畢，不多時，那呆子走將來。又怕忘了那謊，低着頭，口裏温習。被行者喝了一聲道：『呆子！念甚麼哩？』八戒掀起耳朵來看看道：『我到了地頭了！』那呆子上前跪倒。長老攙起道：『徒弟，辛苦啊。』八戒道：『正是。走路的人，爬山的人，第一辛苦了。』長老道：『可有妖怪麼？』八戒道：『有妖怪！有妖怪！一堆妖怪哩！』長老道：『怎麼打發你來？』八戒説：『他叫我做猪祖宗，猪外公，安排些粉湯素食，教我吃了一頓，説道，擺旗鼓送我們過山哩。』行者道：『想是在草裏睡着了，説得是夢話？』呆子聞言，就唬得矮了二寸道：『爺爺呀！我睡他怎麼曉得？……』行者上前，一把揪住道：『你過來，等我問你。』呆子又慌了，戰戰兢兢的道：『問便罷了，揪扯怎的？』行者道：『是甚麼山？』八戒道：『是石頭山。』——『甚麼洞？』道：『是石頭洞。』——『甚麼門？』道：『是釘釘鐵葉門。』——『裏邊有多遠？』道：『入內是三層。』行者道：『你不消説了，後半截我記得真。恐師父不信，我替你説了罷。』八戒道：『嘴臉！你又不曾去，你曉得那些兒，要替我説？』行者笑道：『「門上釘子有多少，衹説老猪心忙記不真。」可是麼？』那呆子即慌忙跪倒。行者道：『朝着石頭唱喏，當做我三人，對他一問一答。可是麼？又説：「等我編得謊兒停當，哄那弼馬温去！」可是麼？』那呆子連忙只是磕頭道：『師兄，我去巡山，你莫成跟我去聽的？』行者罵道：『我把你個饢糠的夯貨！這般要緊的所在，教你去巡山，你却去睡覺！不是啄木蟲叮你醒來，你還在那裏睡哩。及叮醒，又編這樣大謊，可不誤了大事？你快伸過孤拐來，打五棍記心！』

八戒慌了道：『那個哭喪棒重，擦一擦兒皮塌，挽一挽兒筋傷，若打五下，就是死了！』行者道：『你怕打，却怎麼扯謊？』八戒道：『哥哥呀，只是這一遭兒，以後再不敢了。』行者道：『一遭便打三棍罷。』八戒道：『爺爺呀，半棍兒也禁不得！』呆子沒計奈何，扯住師父道：『你替我説個方便兒。』長老道：『悟空説你編謊，我還不信。今果如此，其實該打。——但如今過山少人使喚，悟空，你且饒他，待過了山，再打罷。』行者道：『古人雲：「順父母言情，呼爲大孝。」師父説不打，我就且饒你。你再去與他巡山。若再説謊誤事，我定一下也不饒你！』

那呆子只得爬起來又去。你看他奔上大路，疑心生暗鬼，步步衹疑是行者變化了跟住他。故見一物，即疑是行者。走有七八里，見一隻老虎，從山坡上跑過，他也不怕，舉着釘鈀道：『師兄來聽説謊的？這遭不編了。』又走處，

那山風來得甚猛，呼的一聲，把顆枯木颳倒，滾至面前，他又跌脚捶胸的道：『哥啊！這是怎的起？一行說不敢編謊罷了，又變甚麼樹來打人！』又走向前，祇見一個白頸老鴉，當頭喳喳的連叫幾聲，他又道：『哥哥，不羞！不羞！我說不編就不編了，衹管又變着老鴉怎的？你來聽麼？』原來這一番行者却不曾跟他去，他那裏却自驚自怪，亂疑亂猜，故無往而不疑是行者隨他身也。呆子驚疑且不題。

却說那山叫做平頂山，那洞叫做蓮花洞。洞裏兩妖，一喚金角大王，一喚銀角大王。金角正坐，對銀角說：『兄弟，我們多少時不巡山了？』銀角道：『有半個月了。』金角道：『兄弟，你今日與我去巡巡。』銀角道：『今日巡山怎的？』金角道：『你不知。近聞得東土唐朝差個御弟唐僧往西方拜佛，一行四衆，叫做孫行者、猪八戒、沙和尚，連馬五口。你看他在那處，與我把他拿來。』銀角道：『我們要吃人，那裏不撈幾個。這和尚到得那裏，讓他去罷。』金角道：『你不曉得。我當年出天界，嘗聞得人言：唐僧乃金蟬長老臨凡，十世修行的好人，一點元陽未泄。有人吃他肉，延壽長生哩。』銀角道：『若是吃了他肉就可以延壽長生，我們打甚麼坐，立甚麼功，煉甚麼龍與虎，配甚麼雌與雄？祇該吃他去了。等我去拿他來。』金角道：『兄弟，你有些性急，且莫忙着。你若走出門，不管好歹，但是和尚就拿將來，假如不是唐僧，却也不當人子。我記得他的模樣，曾將他師徒畫了一個影，圖了一個形，你可拿去。但遇着和尚，以此照驗照驗。』又將某人是某名字，一一說了。銀角得了圖像，知道姓名，即出洞，點起三十名小怪，便來山上巡邏。

却說八戒運拙。正行處，可的撞見群魔，當面擋住道：『那來的甚麼人？』呆子才抬起頭來，掀着耳朵看見是些妖魔，他就慌了，心中暗道：『我若說是取經的和尚，他就撈了去；只是說走路的。』小妖回報道：『大王，是走路的。』那三十名小怪，中間有認得的，有不認得的，旁邊有聽着指點說話的，道：『大王，這個和尚，像這圖中猪八戒模樣。』叫挂起影神圖來。八戒看見，大驚道：『怪道這些時没精神哩！原來是他把我的影神傳將來也！』小妖用槍挑着，銀角用手指道：『這騎白馬的是唐僧，這毛臉的是孫行者。』八戒聽見道：『城隍，没我便也罷了，猪頭三牲，清醮二十四分。……』口裏嘮叨，衹管許願。那怪又道：『這黑長的是沙和尚，這長嘴大耳的是猪八戒。』呆子聽見說他，慌得把個嘴揣在懷裏藏了。那怪叫：『和尚，伸出嘴來！』八戒道：『胎裏病，伸不出來。』那怪令小妖使鈎子鈎出來。八戒慌得把個嘴伸出道：『小家形罷了。這不是？你要看便就看，鈎怎的？』

那怪認得是八戒，掣出寶刀，上前就砍。這呆子舉釘鈀按住道：『我的兒，休無禮！看鈀！』那怪笑道：『這和尚是半路上出家的。』八戒道：『好兒子！有些靈性！你怎麼就曉得老爺是半路上出家的？』那怪道：『你會使這鈀，一定是在人家園圃中築地，把他這鈀偷將來也。』八戒道：『我的兒，你那裏認得老爺這鈀。我不比那築地之鈀。這是：

巨齒鑄來如龍爪，滲金妝就似虎形。若逢對敵寒風灑，但遇相持火焰生。能替唐僧消障礙，西天路上捉妖精。
輪動煙霞遮日月，使起昏雲暗斗星。築倒泰山老虎怕，掀翻大海老龍驚。饒你這妖有手段，一鈀九個血窟窿！』

那怪聞言，那裏肯讓。使七星劍，丟開解數，與八戒一往一來，在山中賭鬥，有二十回合，不分勝負。八戒發起狠來，捨死的相迎。那怪見他捽耳朵，噴黏涎，舞釘鈀，口裏吆吆喝喝的，也盡有些悚懼，即回頭招呼小怪，一齊動手。若是一個打一個，其實還好。他見那些小妖齊上，慌了手脚，遮架不住，敗了陣，回頭就跑。原來是道路不平，未曾細看，忽被苽蘿藤絆了個踉蹌。掙起來正走，又被一個小妖，睡倒在地，扳着他脚跟，撲的又跌了個狗吃屎；被一群趕上按住，抓鬃毛，揪耳朵，扯着脚，拉着尾，扛扛抬抬，擒進洞去。咦！正是：

一身魔發難消滅，萬種灾生不易除。

畢竟不知猪八戒性命如何，且聽下回分解。

總評：

描畫孫行者頑處，猪八戒呆處，令人絕倒。化工筆也。

西遊記

第三十二回

第三十三回 外道迷真性 元神助本心

却說那怪將八戒拿進洞去，道：『哥哥啊，拿將一個來了。』老魔喜道：『拿來我看。』二魔道：『這不是？』老魔道：『兄弟，錯拿了，這個和尚沒用。』八戒就綽經說道：『大王，沒用的和尚，放他出去罷。不當人子！』二魔道：『哥哥，不要放他，雖然沒用，也是唐僧一起的，叫做猪八戒。把他且浸在後邊凈水池中，浸退了毛衣，使鹽腌着，曬乾了，等天陰下酒。』八戒聽言道：『蹭蹬啊！撞着個販腌臘的妖怪了！』那小妖把八戒抬進去，拋在水裏不題。

却說三藏坐在坡前，耳熱眼跳，身體不安，叫聲『悟空！怎麽悟能這番巡山，去之久而不來？』行者道：『師父還不曉得他的心哩。』三藏道：『他有甚心？』行者道：『師父啊，此山若是有怪，他半步難行，一定虚張聲勢，跑將回來報我；想是無怪，路途平静，他一直去了。』三藏道：『假若真個去了，却在那裏相會？此間乃是山野空闊之處，比不得那店市城井之間。』行者道：『師父莫慮，且請上馬。那呆子有些懶惰，斷然走的遲慢。你把馬打動些兒，我們定趕上他，一同去罷。』真個唐僧上馬，沙僧挑擔，行者前面引路上山。

却說那老怪又喚二魔道：『兄弟，你既拿了八戒，斷乎就有唐僧。再去巡巡山來，切莫錯過他去。』二魔道：『就行，就行。』你看他急點起五十名小妖，上山巡邏。

正走處，衹見祥雲縹緲，瑞氣盤旋。二魔道：『唐僧來了。』衆妖道：『唐僧在那裏？』二魔道：『好人頭上祥雲照頂，惡人頭上黑氣衝天。那唐僧原是金蟬長老臨凡，十世修行的好人，所以有這祥雲縹緲。』衆怪都不看見，二魔用手指道：『那不是？』那三藏就在馬上打了一個寒噤；又一指，又打個寒噤。一連指了三指，他就一連打了三個寒噤。心神不寧道：『徒弟啊，我怎麽打寒噤麽？』沙僧道：『打寒噤想是傷食病發了。』行者道：『胡說，師父是走着這深山峻嶺，必然小心虚驚。莫怕！莫怕！等老孫把棒打一路與你壓壓驚。』好行者，理開棒，在馬前

丢幾個解數，上三下四，左五右六，盡按那六韜三略，使起神通。那長老在馬上觀之，真個是寰中少有，世上全無。剖開路一直前行，險些兒不唬倒那怪物。他在山頂上看見，魂飛魄喪。忽失聲道：『幾年間聞說孫行者，今日才知話不虚傳果是真。』衆怪上前道：『大王，怎麽長他人之志氣，滅自己之威風？你誇誰哩？』二魔道：『孫行者神通廣大，那唐僧吃他不成。』衆怪道：『大王，你没手段，等我們着幾個去報大大王，教他點起本洞大小兵來，擺開陣勢，合力齊心，怕他走了那裏去！』二魔道：『你們不曾見他那條鐵棒，有萬夫不當之勇。我洞中不過有四五百兵，怎禁得他那一棒？』衆妖道：『這等說，唐僧吃不成，却不把猪八戒錯拿了？如今送還他罷。』二魔道：『拿便也不曾錯拿，送便也不好輕送。唐僧終是要吃，只是眼下還尚不能。』衆妖道：『這般說，還過幾年麽？』二魔道：『也不消幾年。我看見那唐僧，衹可善圖，不可惡取。若要倚勢拿他，聞也不得一聞。衹可以善去感他，賺得他心與我心相合，却就善中取計，可以圖之。』衆妖道：『大王如定計拿他，可用我等。』二魔道：『你們都各回本寨，但不許報與大王知道。若是驚動了他，必然走了風訊，敗了我計策。我自有個神通變化，可以拿他。』

衆妖散去，他獨跳下山來，在那道路之旁，摇身一變，變做個年老的道者。真個是怎生打扮？但見他：

星冠晃亮，鶴髮蓬松。羽衣圍綉帶，雲履綴黄棕。神清目朗如仙客，體健身輕似壽翁。說甚麽清牛道士，也强如素券先生。妝成假像如真像，捏作虚情似實情。

他在那大路旁妝做個跌折腿的道士，脚上血淋津，口裏哼哼的，衹叫『救人！救人！』

却說這三藏仗着孫大聖與沙僧，歡喜前來。正行處，衹聽得叫『師父救人！』三藏聞得，道：『善哉！善哉！這曠野山中，四下裏更無村舍，是甚麽人叫？想必是虎豹狼蟲唬倒的。』這長老兜回駿馬，叫道：『那有難者是甚人？可出來。』這怪從草科裏爬出，對長老馬前，乒乒的衹情磕頭。三藏在馬上見他是個道者，却又年紀高大，甚不過意。連忙下馬攙道：『請起，請起。』那怪道：『疼！疼！疼！』丢了手看處，衹見他脚上流血。三藏驚問道：『先生

啊，你從那裏來？因甚傷了尊足？』那怪巧語花言，虛情假意道：『師父啊，此山西去，有一座清幽觀宇。我是那觀裏的道士。』三藏道：『你不在本觀中侍奉香火，演習經法，爲何在此閑行？』那魔道：『因前日山南裏施主家，邀道衆禳星散福來晚，我師徒二人，一路而行。行至深衢，忽遇着一隻斑斕猛虎，將我徒弟啣去。貧道戰戰兢兢的亡命走，一跤跌在亂石坡上，傷了腿足，不知回路。今日大有天緣，得遇師父，萬望師父大發慈悲，救我一命。若得到觀中，就是典身賣命，一定重謝深恩。』三藏聞言，認爲真實，道：『先生啊，你我都是一命之人，我是僧，你是道。衣冠雖別，修行之理則同。我不救你啊，就不是出家之輩。——救便救你，你却走不得路哩。』那怪道：『立也立不起來，怎生走路？』三藏道：『也罷，也罷。我還走得路，將馬讓與你騎一程，到你上宮，還我馬去罷。』那怪道：『師父，感蒙厚情，只是腿胯跌傷，不能騎馬。』三藏道：『正是。』叫沙和尚：『你把行李捎在我馬上，你馱他一程罷。』沙僧道：『我馱他。』

那怪急回頭，抹了他一眼，道：『師父啊，我被那猛虎唬怕了，見這晦氣色臉的師父，愈加驚怕，不敢要他馱。』三藏叫道：『悟空，你馱罷。』行者連聲答應道：『我馱！我馱！』那妖就認定了行者，順順的要他馱，再不言語。沙僧笑道：『這個没眼色的老道！我馱着不好，顛倒要他馱。他若看不見師父時，三尖石上，把筋都摜斷了你的哩！』行者馱了，口中笑道：『你這個潑魔，怎麽敢來惹我？你也問問老孫是幾年的人兒？你這般鬼話兒，只好瞞唐僧，又好來瞞我？我認得你是這山中的怪物！想是要吃我師父哩。我師父又非是等閑之輩，是你吃的？你要吃他，也須是分多一半與老孫是。』那魔聞得行者口中念誦，道：『師父，我是好人家兒孫，做了道士。今日不幸，遇着虎狼之厄，我不是妖怪。』行者道：『你既怕虎狼，怎麽不念《北斗經》？』三藏正然上馬，聞得此言，罵道：『這個潑猴！「救人一命，勝造七級浮屠。」你馱他便罷了，且講甚麽「北斗經」、「南斗經」！』行者聞言道：『這廝造化哩！我那師父是個慈悲好善之人，又有些外好裏枒槎。我待不馱你，他就怪我。馱便馱，須要與你講開：若是大小便，先和我說。若在脊梁上淋下來，臊氣不堪，且污了我的衣服，没人漿洗。』那怪道：『我這般一把子年紀，豈不知你的話說？』行者才拉將起來，揹在身上。同長老、沙僧，奔大路西行。那山上高低不平之處，行者留心慢走，讓唐僧前去。

行不上三五里路，師父與沙僧下了山凹之中，行者却望不見，心中埋怨道：『師父偌大年紀，再不曉得事體。這等遠路，就是空身子也還嫌手重，恨不得捽了，却又教我馱着這個妖怪！莫說他是妖怪，就是好人，這們年紀，也死得着了，摜殺他罷，馱他怎的？』這大聖正算計要摜，原來那怪就知道了。且會遣山，就使一個『移山倒海』的法術，就在行者背上捻訣，念動真言，把一座須彌山遣在空中，劈頭來壓行者。這大聖慌的把頭偏一偏，壓在左肩臂上。笑道：『我的兒，你使甚麽重身法來壓老孫哩？這個倒也不怕，只是『正擔好挑，偏擔兒難挨。』』那魔道：『一座山壓他不住！』却又念咒語，把一座峨眉山遣在空中來壓。行者又把頭偏一偏，壓在右肩臂上。看他挑着兩座大山，飛星來趕師父！那魔頭看見，就嚇得渾身是汗，遍體生津道：『他却會擔山！』又整性情，把真言念動，將一座泰山遣在空中，劈頭壓住行者。那大聖力軟筋麻，遭逢他這泰山下頂之法，祇壓得三屍神咋，七竅噴紅。

好妖魔，使神通壓倒行者，却疾駕長風，去趕唐三藏。就于雲端裏伸下手來，馬上撾人。慌得個沙僧丟了行李，掣出降妖棒，當頭擋住。那妖魔舉一口七星劍，對面來迎。這一場好殺：

七星劍，降妖杖，萬映金光如閃亮。這個圜眼兇如黑殺神，那個鐵臉真是捲簾將。那怪山前大顯能，一心要捉唐三藏。這個努力保真僧，一心寧死不肯放。他兩個噴雲曖霧照天宮，播土揚塵遮斗象。殺得那一輪紅日淡無光，大地乾坤昏蕩蕩。來往相持八九回，不期戰敗沙和尚。

那魔十分兇猛，使口寶劍，流星的解數滾來，把個沙僧戰得軟弱難搪，回頭要走，早被他逼住寶杖，輪開大手，

搊住沙僧，挾在左脅下，將右手去馬上拿了三藏，脚尖兒鈎着行李，張開口，咬着馬鬃，使起攝法，把他們一陣風，都拿到蓮花洞裏。厲聲高叫道：『哥哥！這和尚都拿來了！』

老魔聞言，大喜道：『拿來我看。』二魔道：『這不是？』老魔道：『賢弟呀，又錯拿來了也。』二魔道：『你說拿唐僧的。』老魔道：『是便就是唐僧，只是還不曾拿住那有手段的孫行者。須是要拿住他，才好吃唐僧哩。若不曾拿得他，切莫動他的人。那猴王神通廣大，變化多般。我們若吃了他師父，他肯甘心？來那門前吵鬧，莫想能得安生。』二魔笑道：『哥啊，你也忒會抬舉人。若依你誇奬他，天上少有，地下全無；自我觀之，也祇如此，沒甚手段。』老魔道：『你拿住了？』二魔道：『他已被我遣三座大山壓在山下，寸步不能舉移。所以才把唐僧、沙和尚連馬、行李，都攝將來也。』那老魔聞言，滿心歡喜道：『造化！造化！拿住這廝，唐僧才是我們口裏的食哩。』叫小妖：『快安排酒來，且與你二大王奉一個得功的杯兒。』二魔道：『哥哥，且不要吃酒，叫小的們把猪八戒撈上水來吊起。』遂把八戒吊在東廊，沙僧吊在西邊，唐僧吊在中間，白馬送在槽上，行李收將進去。

老魔笑道：『賢弟好手段！兩次捉了三個和尚。但孫行者雖是有山壓住，也須要作個法，怎麽拿他來湊蒸，才好哩。』二魔道：『兄長請坐。若要拿孫行者，不消我們動身，祇教兩個小妖，拿兩件寶貝，把他裝將來罷。』老魔道：『拿甚麽寶貝去？』二魔道：『拿我的「紫金紅葫蘆」，你的「羊脂玉浄瓶」。』老魔將寶貝取出道：『差那兩個去？』二魔道：『差精細鬼、伶俐蟲二人去。』吩咐道：『你兩個拿着這寶貝，徑至高山絕頂，將底兒朝天，口兒朝地，叫一聲「孫行者！」他若應了，就已裝在裏面，隨即貼上「太上老君急急如律令奉敕」的帖兒。他就一時三刻化爲膿了。』二小妖叩頭，將寶貝領出去拿行者不題。

却說那大聖被魔使法壓住在山根之下，遇苦思三藏，逢灾念聖僧。厲聲叫道：『師父啊！想當時你到兩界山，揭了壓帖，老孫脫了大難，秉教沙門；感菩薩賜與法旨，我和你同住同修，同緣同相，同見同知，乍想到了此處，遭逢魔障，又被他遣山壓了。可憐！可憐！你死該當，祇難爲沙僧、八戒與那小龍化馬一場！這正是樹大招風風撼樹，人爲名高名喪人！』嘆罷，那珠泪如雨。

早驚了山神、土地與五方揭諦神衆。會金頭揭諦道：『這山是誰的？』土地道：『是我們的。』——『你山下壓的是誰？』土地道：『不知是誰。』揭諦道：『你等原來不知。這壓的是五百年前大鬧天宮的齊天大聖孫悟空行者。如今皈依正果，跟唐僧做了徒弟。你怎麽把山借與妖魔壓他？你們是死了。他若有一日脫身出來，他肯饒你！就是從輕，土地也問個擺站，山神也問個充軍，我們也領個大不應是。』那山神、土地才怕道：『委實不知，不知。祇聽得那魔頭念起遣山咒法，我們就把山移將來了。誰曉得是孫大聖？』揭諦道：『你且休怕。律上有云：「不知者不坐。」我與你計較，放他出來，不要教他動手打你們。』土地道：『就沒理了；既放出來又打？』揭諦道：『你不知。他有一條如意金箍棒，十分利害：打着的就死，挽着的就傷；磕一磕兒筋斷，擦一擦兒皮塌哩！』

那土地、山神，心中恐懼，與五方揭諦商議了，却來到三山門外叫道：『大聖！山神、土地、五方揭諦來見。』好行者，他虎瘦雄心還在，自然的氣象昂昂，聲音朗朗道：『見我怎的？』土地道：『告大聖得知。遣開山，請大聖出來，赦小神不恭之罪。』行者道：『遣開山，不打你。』喝聲『起去！』就如官府發放一般。那衆神念動真言咒語，把山仍遣歸本位，放起行者。行者跳將起來，抖抖土，束束裙，耳後掣出棒來，叫山神、土地：『都伸過孤拐來，每人先打兩下，與老孫散散悶！』衆神大驚道：『剛纔大聖已吩咐，恕我等之罪；怎麽出來就變了言語要打？』行者道：『好土地！好山神！你倒不怕老孫，却怕妖怪！』土地道：『那魔神通廣大，法術高强，念動真言咒語，拘喚我等在他洞裏，一日一個輪流當值哩！』

行者聽見『當值』二字，却也心驚。仰面朝天，高聲大叫道：『蒼天！蒼天！自那混沌初分，天開地闢，花果山生了我，我也曾遍訪明師，傳授長生秘訣。想我那隨風變化，伏虎降龍，大鬧天宫，名稱大聖。更不曾把山神、

土地欺心使喚。今日這個妖魔無狀，怎敢把山神、土地喚為奴僕，替他輪流當值？天啊！既生老孫，怎麽又生此輩？』

那大聖正感嘆間，又見山凹裏霞光焰焰而來。行者道：『山神、土地，你既在這洞中當值，那放光的是甚物件？』土地道：『那是妖魔的寶貝放光，想是有妖精拿寶貝來降你。』行者道：『這個却好耍子兒啊！我且問你，他這洞中有甚人與他相往？』土地道：『他愛的是燒丹煉藥，喜的是全真道人。』行者道：『怪道他變個老道士，把我師父騙去了。既這等，你都且記打，回去罷。等老孫自家拿他。』那衆神俱騰空而散。

這大聖搖身一變，變做個老真人。你道他怎生打扮：

頭挽雙髽髻，身穿百衲衣。手敲漁鼓簡，腰繫呂公縧。斜倚大路下，專候小魔妖。頃刻妖來到，猴王暗放刁。

不多時，那兩個小妖到了。行者將金箍棒伸開，那妖不曾防備，絆着脚，撲的一跌。爬起來，才看見行者，口裏嚷道：『憊懶！憊懶！若不是我大王敬重你這行人，就和比較起來。』行者陪笑道：『比較甚麽？道人見道人，都是一家人。』那怪道：『你怎麽睡在這裏，絆我一跌？』行者道：『小道童見我這老道人，要跌一跌兒做見面錢。』那妖道：『我大王見面錢衹要幾兩銀子，你怎麽跌一跌兒做見面錢？你別是一鄉風，決不是我這裏道士。』行者道：『我當真不是。我是蓬萊山來的。』那妖道：『蓬萊山是海島神仙境界。』行者道：『我不是神仙，誰是神仙？』那妖却回嗔作喜，上前道：『老神仙，老神仙！我等肉眼凡胎，不能識認，言語衝撞，莫怪，莫怪。』行者道：『我不怪你。常言道：「仙體不踏凡地」，你怎知之？我今日到你山上，要度一個成仙了道的好人。那個肯跟我去？』精細鬼道：『師父，我跟你去。』伶俐蟲道：『師父，我跟你去。』

行者明知故問道：『你二位從那裏來的？』那怪道：『自蓮花洞來的。』——『要往那裏去？』那怪道：『奉我大王教命，拿孫行者去的。』行者道：『拿那個？』那怪又道：『拿孫行者。』孫行者道：『可是跟唐僧取經的那個孫行者麽？』那妖道：『正是，正是。你也認得他？』行者道：『那猴子有些無禮。我認得他。我也有些惱他。我與你同拿他去，就當與你助功。』那怪道：『師父，不須你助功。我二大王有些法術，遣了三座大山把他壓在山下，寸步難移，教我兩個拿寶貝來裝他的。』行者道：『是甚寶貝？』精細鬼道：『我的是「紅葫蘆」，他的是「玉净瓶」。』行者道：『怎麽樣裝他？』小妖道：『把這寶貝的底兒朝天，口兒朝地，叫他一聲，他若應了，就裝在裏面；貼上一張「太上老君急急如律令奉敕」的帖子，他就一時三刻，化為膿了。』行者見說，心中暗驚道：『利害！利害！當時日值功曹報信，説有五件寶貝，這是兩件了；不知那三件又是甚麽東西？……』行者笑道：『二位，你把寶貝借我看看。』那小妖那知甚麽訣竅，就于袖中取出兩件寶貝，雙手遞與行者。行者見了，心中暗喜道：『好東西！好東西！我若把尾子一抉，颼的跳起走了，衹當是送老孫。』忽又思道：『不好！不好！搶便搶去，只是壞了老孫的名頭。這叫做白日搶奪了。』復遞與他去，道：『你還不曾見我的寶貝哩。』那怪道：『師父有甚寶貝？也借與我凡人看看壓災。』

好行者，伸下手，把尾上毫毛拔了一根，捻一捻，叫『變！』即變做一個一尺七寸長的大紫金紅葫蘆，自腰裏拿將出來道：『你看我的葫蘆麽？』那伶俐蟲接在手，看了道：『師父，你這葫蘆長大，有樣範，好看，——却只是不中用。』行者道：『怎的不中用？』那怪道：『我這兩件寶貝，每一個可裝千人哩。』行者道：『你這裝人的，何足稀罕？我這葫蘆，連天都裝在裏面哩！』那怪道：『就可以裝天？』行者道：『當真的裝天。』那怪道：『只怕是謊。就裝與我們看看才信；不然，決不信你。』行者道：『天若惱着我，一月之間，常裝他七八遭。不惱着我，就半年也不裝他一次。』伶俐蟲道：『哥啊，裝天的寶貝，與他換了罷。』精細鬼道：『他裝天的，怎肯與我裝人的相換？』伶俐蟲道：『若不肯啊，貼他這個净瓶也罷。』行者心中暗喜道：『葫蘆換葫蘆，餘外貼净瓶：一件換兩件，其實甚相應！』即上前扯住那伶俐蟲道：『裝天可換麽？』那怪道：『但裝天就換；不換我是你的兒子！』行者道：『也罷，也罷，我裝與你們看看。』

好大聖，低頭捻訣，念個咒語，叫那日遊神、夜遊神、五方揭諦神：『即去與我奏上玉帝，說老孫皈依正果，保唐僧去西天取經，路阻高山，師逢苦厄。妖魔那寶，吾欲誘他換之，萬千拜上，將天借與老孫裝閉半個時辰，以助成功。若道半聲不肯，即上靈霄殿，動起刀兵！』

那日遊神徑至南天門裏，靈霄殿下，啓奏玉帝，備言前事。玉帝道：『這潑猴頭，出言無狀。前者觀音來說放了他，保護唐僧，朕這裏又差五方揭諦、四值功曹，輪流護持，如今又借天裝，天可裝乎？』才說裝不得，那班中閃出哪吒三太子，奏道：『萬歲，天也裝得。』玉帝道：『天怎樣裝？』哪吒道：『自混沌初分，以輕清爲天，重濁爲地。天是一團清氣而扶託瑤天宮闕，以理論之，其實難裝；但祇孫行者保唐僧西去取經，誠所謂泰山之福緣，海深之善慶，今日當助他成功。』玉帝道：『卿有何助？』哪吒道：『請降旨意，往北天門問真武借皂雕旗在南天門上一展，把那日月星辰閉了。對面不見人，捉白不見黑，哄那怪道，祇說裝了天，以助行者成功。』玉帝聞言：『依卿所奏。』那太子奉旨，前來北天門，見真武，備言前事。那祖師隨將旗付太子。

早有遊神急降大聖耳邊道：『哪吒太子來助功了。』行者仰面觀之，祇見祥雲繚繞，果是有神。却回頭對小妖道：『裝天罷。』小妖道：『要裝就裝，祇管「阿綿花屎」怎的？』行者道：『我方纔運神念咒來。』那小妖都睜着眼，看他怎麼樣裝天。這行者將一個假葫蘆兒拋將上去。你想，這是一根毫毛變的，能有多重？被那山頂上風吹去，飄飄蕩蕩，足有半個時辰，方纔落下。祇見那南天門上，哪吒太子把皂旗撥喇喇展開，把日月星辰俱遮閉了。真是乾坤墨染就，宇宙靛裝成。二小妖大驚道：『才說話時，只好向午，却怎麼就黄昏了？』行者道：『天既裝了，不辨時候，怎不黄昏！』——『如何又這等樣黑？』行者道：『日月星辰都裝在裏面，外却無光，怎麼不黑！』小妖道：『師父，你在那廂說話哩？』行者道：『我在你面前不是？』小妖伸手摸着道：『祇見說話，更不見面目。師父，此間是甚麼去處？』行者又哄他道：『不要動脚，此間乃是渤海岸上。若塌了脚，落下去啊，七八日還不

得到底哩！』小妖大驚道：『罷！罷！罷！放了天罷。我們曉得是這樣裝了。若弄一會子，落下海去，不得歸家！』

好行者，見他認了真實，又念咒語，驚動太子，把旗捲起，却早見日光正午。小妖笑道：『妙啊！妙啊！這樣好寶貝，若不換啊，誠爲不是養家的兒子！』那精細鬼交了葫蘆，伶俐蟲拿出净瓶，一齊兒遞與行者。行者却將假葫蘆兒遞與小妖換了。既換了寶貝，却又幹事找絕：臍下拔一根毫毛，吹口仙氣，變作一個銅錢。叫道：『小童，你拿這個錢去買張紙來。』小妖道：『何用？』行者道：『我與你寫個合同文書。你將這兩件裝人的寶貝換了我一件裝天的寶貝，恐人心不平，向後去日久年深，有甚反悔不便，故寫此各執爲照。』小妖道：『此間又無筆墨，寫甚文書？我與你賭個咒罷。』行者道：『怎麼樣賭？』小妖道：『我兩件裝人之寶，貼換你一件裝天之寶，若有反悔，一年四季遭瘟。』行者笑道：『我是决不反悔，如有反悔，也照你四季遭瘟。』說了誓，將身一縱，把尾子翹了一翹，跳在南天門前，謝了哪吒太子麾旗相助之功。太子回宫繳旨，將旗送還真武不題。這行者佇立霄漢之間，觀看那個小妖。

畢竟不知怎生區處，且聽下回分解。

總評：

說到裝天處，令人絕倒。何物文人，奇幻至此！○大抵文人之筆，無所不至，然到裝天葫蘆，亦觀止矣。